U0115825

近現代中華文化思想叢刊

晚清民國的國學研究

上冊

桑兵　著

目次

緒論

抗日戰爭中的1942年，陳寅恪為楊樹達的《積微居小學金石論叢續稿》作序，寫下了一段意味深長的肺腑之言：

> 「先生少日即已肄業於時務學堂，後復遊學外國，共同時輩流，頗有遭際世變，以功名顯著者，獨先生講授於南北諸學校，寂寞勤苦，逾三十年，不少間輟。持短筆，照孤燈，先後著書高數尺，傳誦於海內外學術之林，始終未嘗一藉時會毫末之助，自致於立言不朽之域。與彼假手功名，因得表見者，肥瘠榮悴，固不相同，而孰難孰易，孰得孰失，天下後世當有能辨之者。嗚呼！自剖判以來，生民之禍亂，至今日而極矣。物極必反，自然之理也。一旦忽易陰森慘酷之世界，而為晴朗和平之宙合，天而不欲遂喪斯文也，則國家必將尊禮先生，以為國老儒宗，使弘宣我華夏民族之文化於京師太學。其時縱有如夢之青山，寧復容先生高隱耶？然而白髮者，國老之象徵，浮名者，亦儒宗所應具，斯誠可嘉之兆也，又何歎哉？又何歎哉？」[1]

明眼人不難看出，這其實也是陳寅恪的夫子自道，借表彰楊樹達而感歎時遇，寄望將來。作者本來悲觀情緒較重，於戰亂之中有這樣

1 陳寅恪：《金明館叢稿二編》，上海古籍出版社1980年版，第230頁。

的美好憧憬，是以「天而不欲遂喪斯文也」為信念。國家但有安寧之日，理當奉此輩為國老儒宗，供於京師太學，以弘揚華夏文化。這不僅是對學術文化前景的期望，也是對國運興盛的祝願。

戰亂給中國造成巨大災難，學術漸上軌道的趨勢被打斷，出現停滯甚至倒退。不過，戰後的恢復與發展也並未完全如陳寅恪所寄望，國老儒宗依然不得其位。個中原因不能僅僅歸咎於戰亂。與楊、陳「同時輩流」，大都「假手功名，因得表見」，其肥瘠榮悴，顯然不同，難易得失，也極易分辨。然而正因為此，社會人心，風氣不正，則趨炎附勢，避難就易，適為凡人之天性，而非民族之理性。1920年7月，北京大學畢業而棲身政界的金毓黻在日記中寫道：

> 「今人多喜作政客，鮮為學者。其故在為政客者，一旦斧柯得假，則高下在心，用舍由我，權位以此而崇，功名由之以盛，加以宮室之美，妻妾之奉，窮乏得我，在己既足自豪，人亦從旁豔羨，此為政客者所以日多也。至若為學者，其性恬淡，其志清明，其行苦卓，非有確立不拔之操，遁世無悶之想，即令有志力學，或奪於外誘，或止於中懾，必致中道而畫，盡墮前功。嗚呼！學者之所以默相證慰者，沒世不可知之名耳。設並此而無之，人更無願為學者矣。……古人有恆言曰，古人著書，大抵憂憤之所為作也，誠哉是言。吾國學者，千古一轍，至今日猶然。章太炎氏之學，精約獨至，前無古人，考其成功，乃在流離顛沛之時，迫而後出，亦緣憂憤。及至近三、五年，處境漸亨，著述之業，轉見衰歇，間有言論，乃近政客。章氏如此，余子可知。新會梁氏，近年亦鮮少宏著，是知學者事業，非由饑趨勢迫，必難終業。旁征西土則異是，彼邦學者，位居政客職官之上，國家尊崇特至，社會賓敬極恭，無吾

國學者之苦卓，而有一世之樂，百世之名，胸襟淡泊，志趣高尚之士，孰不樂為此，西土學者所以日多也。」[2]

世風與學風互為表裏，世風不良，則學風難純，反之亦然。誠如金毓黻所說，學者求一「沒世不可知之名」，本來無可厚非。但何為學者應有之名，似乎在見仁見智之列，而且既有得名之心，以及有名與否與實際利益密切相關，則勢必以學問為手段而非目的，得名之道難免求諸學問以外而呈「多元化」趨勢。民國政治黑暗，純粹以政客之功名，難以顯著於學界乃至社會。影響民國學術界至為廣泛深遠者，主要是由傳媒鼓動、播布思想的政論。錢穆后來總結民國以來學術與時代脫節的情形，認為「此數十年來，國內思想潮流乃及一切實務推進，其事乃操縱於報章與雜誌期刊，大學講堂以及研究院，作高深學術探討者，皆不能有領導思想之力量，並亦無此抱負」[3]。而通過傳媒鼓動社會者，多數仍是大學及研究機關的學人。文以載道之下，學者往往兼作文人，近代則思想導師與學界聞人相輔相成，以為成名捷徑。向新文化運動別樹一幟的「學衡」派，不滿於新文化派故意鼓動大眾，批評當時學者專營「術」而忽視「學」。柳詒徵認為：

「學者產生地有二種，實驗室、圖書館一也，官廳、會場、報紙、專電、火車、汽車二也，前者有學而無術，後者有術而無學，潮流所趨，視線所集，則惟後者為歸。故在今日號稱不為官吏，不為政客，不為武人，不為商賈，自居於最高最純潔之地位之學者，其實乃一種變相之官吏，特殊之政客，無槍炮之

2　金毓黻著，《金毓黻文集》編輯整理組校點：《靜晤室日記》第1冊，瀋陽，遼瀋書社1993年版，第80頁。

3　錢穆：《〈新亞學報〉發刊詞》，《新亞學報》第1期，1955年8月。

武人，無資本之商賈，而絕非真正之學者。官廳所見此等學者也，會場所聞此等學者也，報紙所載此等學者也，專電所登此等學者也，終日奔馳於火車汽車而不息此等學者也，主持教育主持學術為學界之託辣斯此等學者也。此等學者愈多，教育愈壞，學術愈晦，中國愈亂，亂而學者之術愈進步。」[4]。

不求學而但求術，也就是借助時會，假手功名之謂了。柳氏呼籲學者「舍術而求學」，但如果社會乃至學術界均以成名與否判斷學人的學術地位，則由「術」成名易，以「學」成就難，一般人明知名實不符，也會反治學之道而行之，舍學而求術。而由術得名者，必以術固其位，長此以往，迴圈反覆，本末倒置，反而成為學術界的天經地義。這樣的偏見不僅左右當時學人的從學之道，也影響後世學人的回顧目光。判斷近代學術史上派分的主流與否，多少依據從眾的聲勢，而非實際的貢獻。換一角度看，主流或許剛好是誤入歧途，偏離了治學的軌道。

早在1904年，王國維就斷言欲中國學術發達，「必視學術為目的而不視為手段而後可」[5]。以學術為目的，不僅包含不以學術為論政的手段，也包含不以政論為成學的工具，也就是陳寅恪所說不借時會之助，而自致於立言不朽之域。學界乃至社會以此類學人為國老儒宗加以尊禮，方能顯示中國的學術文化真正走上正軌。可惜近代政治腐惡，社會動盪，學人不得不承擔領導思想，指引社會的重任，其與政治不能絕緣，就有不獲已之緣故。此為國家之不幸，非僅學人之不

4 柳詒徵：《學者之術》，《學衡》第33期，1924年9月。另參見劉伯明：《學者之精神》，《學衡》第1期，1922年1月。

5 王國維：《論近年之學術界》，《王國維遺書》第三冊，上海書店出版社1996年版，第524頁。

幸[6]。不過，歷史上的黑暗時代，學術往往反激而成盛局，其中學人遵循學術本來軌則，為內在要因。而不借時會，實為必由之路。

「不藉他力」而能「實至名歸」，雖是治學的正途本份，做到並且不愈矩卻極難。因此近代學人之「享大名者名雖偶同，而所以名者則大有徑庭，其間相去蓋不可以道里計也。」所謂「時勢造英雄」和「淵源有自」[7]，均須憑藉外力。這也是社會時政影響於學術的變相。既然學人的成名之道並不由於學術本身，則判斷其在學術史上的位置也不應依據其地位或名聲。要想瞭解近代學術的歷史，除了閱讀學者思想的記錄即其學術著作外，不能忽略學者作為社會歷史人物、由其行為活動燒錄下來的多種史實。在具體而綜合地考察各種流派和人物的相互關係的基礎上，這些學派和學人的歷史地位自然隨著時序流程而適得其所，學術發展的軌則也就由對其成敗得失的心領神會得以凸顯。

由術得名，必須因應時勢，則學者不能沉潛於學問，隨波逐流，以趨時驟然成名者往往也容易過時。而學人對於自己學術目前的失勢較可能的失傳更為關心，博得時名常常與失去清譽結伴而至。錢穆曾對弟子批評「近人求學多想走捷徑，成大名。結果名是成了，學問卻談不上。」「中國學術界實在差勁，學者無大野心，也無大成就，總是幾年便換一批，學問老是過時！」[8]又說：「為學標準貴高，所謂取法乎上僅得乎中。若先以卑陋自足，則難有遠到之望。標準之高低，若多讀書自見。所患即以時代群趨為是，不能上窺古人，則終為所

6 參見陳寅恪：《讀吳其昌撰〈梁任公傳〉書後》，《寒柳堂集》，上海古籍出版社1980年版，第148頁。

7 約1932年1月25日孫楷第來函，陳智超編注：《陳垣來往書信集》，上海古籍出版社1990年版，第409頁。

8 嚴耕望：《錢穆賓四先生與我》，臺北，商務印書館1994年版，第65-66頁。

囿。從來學者之患無不在是，誠有志者所當時以警惕也。」[9]等而下之者不必論，就連錢穆相當推許的梁啟超，同時人也指其「雖自知其短，而改之不勇；又以正義之見，不敵其名利之念。晚年講學，尤好揣摩風氣，儒墨漢宋，佛老科玄，時時改易。前之以識見文字轉移一代風氣者，卒乃行文之末，亦隨人為轉移。」有鑑於此，「益歎先哲學必立本之義為不可易也」[10]。

「學必立本」即先識大體，必先對所治學問的「知識有寬博成系統之認識，然後可以進而為窄而深之研討」，有本不依或無本可據，則難免偏離正軌，極易流於「以鑽隙覓間尋罅縫找漏洞代求知識」[11]。而這種「為局部的研究」的「走偏鋒」，正是光宣以後正統考據學復興的大勢所趨，其動機和目的在於千方百計超越前人。民國以來的以科學方法整理國故和要科學的東方學之正統在中國，不僅欲突過古人，還要趕超域外。而在西學的衝擊之下，中體動搖，作為中學綱領的經學解體，取而代之以史學為中軸的國學又繼而分崩離析，中學已是無本可據。至於西學方面，也是急功近利，各取所需，不求本源，形成有本不依。學術的既有途轍已失，而新的規矩待立，失範現象比比皆是。

1924年8月15日，章太炎在《華國月刊》第1卷第12期撰文批評學界時流「廢其坦途，不以序進，以失高明光大之道」，「所謂無源之水，得盛雨為横潦，其不可恃甚明。」結果以史學為主的文科「學弊」有五：「一曰尚文辭而忽事實」，「二曰因疏陋而疑偽造」，「三曰詳遠古而略近代」，「四曰審邊塞而遺內治」，「五曰重文學而輕政

9 致唐端正書，《錢賓四先生全集》第53冊，臺北，聯經出版事業公司1998年版，第456-457頁。

10 繆鳳林：《悼梁卓如先生》，《史學雜誌》第1卷第1期，1929年3月。

11 錢穆：《〈新亞學報〉發刊詞》，《新亞學報》第1期，1955年8月。

事」。此意一個月前他在南京教育改進社年會上以「勸治史學並論史學利弊」為題做過演講，旨在批評中國教育界忽略史學，因而不能保存國性，發揚志趣，使志趣與智識並進。兩文相較，五弊的大要一致，但順序略有差別，闡釋也不盡相同，後者依次為取文舍事，詳上古而略近代，詳於域外而略於內政，詳於文化而略於政治，因古籍之疏漏而疑為偽造[12]。將兩文參閱，方可瞭解章太炎的真意。所說各節，確為民國學術偏向的大端，其影響至今依然根深蒂固。

「取文舍事」指歸有光、方苞等文辭派評點《史記》、《漢書》，以事實就文章，忽視史書的實錄本質，易為文章而捏造事實，旨在進一步肅清桐城派的影響。

「詳上古而略近代」，乃史學通病，每每於唐虞三代，加以考據，六朝以後漸簡，唐宋以還，則考證無不從略。「歌頌三代，本屬科舉流毒，二十四史自可束諸高閣。然人事變動〔？〕，法制流傳，有非泥古不化所能明其究竟者。」所以「司馬溫公作通鑒，於兩漢以前，多根正史，晉後則旁採他籍，唐則採諸新舊唐書者只什五六，其餘則皆依年月日以考證之，並附考異，以備稽核。誠以近代典籍流傳既富，治史學既有所依據，而其為用有自不同。蓋時代愈近者，與今世國民性愈接近，則其激發吾人志趣，亦愈易也。」[13]周以前歷史，「世次疏闊，年月較略，或不可以質言」，而學者「好其多異說者，而惡其少異說者，是所謂好畫鬼魅，惡圖犬馬也」[14]。這與陳寅恪不敢觀三代兩漢之書的見識大抵相通。後者亦認為「上古去今太遠，無

12 章太炎：《勸治史學並論史學利弊》，《新聞報》1924年7月20日，轉引自《北京大學日刊》第1526號，1924年9月24日。

13 章太炎：《勸治史學並論史學利弊》，《新聞報》1924年7月20日，轉引自《北京大學日刊》第1526號，1924年9月24日。

14 章太炎：《救學弊論》，《華國月刊》第1卷第12期，1924年8月15日。

文字記載，有之亦僅三言兩語，語焉不詳，無從印證。加之地下考古發掘不多，遽難據以定案。畫人畫鬼，見仁見智，曰朱曰墨，言人人殊，證據不足，孰能定之？」[15]所以後來章太炎批評「今之講史學者，喜考古史，有二十四史而不看，專在細緻之處吹毛求疵」[16]。這也就是陳寅恪所說：「往昔經學盛時，為其學者，可不讀唐以後書，以求速效。」民國時則「競言古史，察其持論，間有類乎清季誇誕經學家之所為者。」[17]至於治近代史事，則正史之外，廣泛「旁採他籍」，考證存異，適為不二法門。

「詳於域外而略於內政」，為晚清外患日迫之下邊疆史地之學興起的流風餘韻，民國以後，受西方漢學及東方學發達的影響，邊疆史地乃至中西交通史再掀熱潮。本來中國學者熟悉本部而疏於四裔，取長補短，理所應當，而且中國從來並非孤立發展，通四裔亦為深入瞭解本部的勢所必然。但凡事矯枉過正即失之偏頗，「其流弊則將內政要點，處處從略」，相比之下，「內政為立國根本」，外交的重要性尚在其次。歷史究竟以民族主義還是世界主義為旨，眾說紛紜，「詳於域外而略於內政」，畢竟有輕重本末倒置之嫌。

「詳於文化而略於政治」，章太炎稱此病為受日本影響的結果，日本人治東方史學，因為沒有國民性關係，目的與國人治國史不同，往往「舉一二文人以代表一代文物」。「近人治史學，好談文化，文化為政治之母，固為一班人所共認，然文乃經緯天地之文，初非吟風弄月玩物喪志之文」。此外他還認為中國歷史上各種宗教對於政治發生

15 王鍾翰：《陳寅恪先生雜憶》，《紀念陳寅恪教授國際學術討論會文集》，廣州，中山大學出版社1989年版，第52頁。

16 《歷史之重要》，《制言半月刊》第55期。

17 《陳垣〈元西域人華化考〉序》，《陳寅恪史學論文選集》，上海古籍出版社1992年版，第505-506頁。

影響小，不占重要位置，「泛論宗教，無關政治，自可從略。」「夫文章與風俗相繫，固也。然尋其根株，是皆政事隆污所致，……彼重文而輕政者，所謂不揣其本，求之於末已。」

「因古籍之疏漏而疑為偽造」，僅為部分學者所獨有，與上述四項為史學通病不同。這顯然指疑古辨偽如胡適及「古史辨」的顧頡剛等人而言。章太炎承認「古事致疑，本為學者態度，然若以一二疏漏而遽認為偽造，欲學者群束書不觀，則未免太過耳。」記憶前事，多為大體，難免疏漏歧異，而且古史多曲筆諱飾，屬故意為之。

比較今日學術，歧途成正軌，偏鋒為大道，橫溢斜出已是理所當然，不溫故而欲知新的妄言變作登雲的天梯，成名的捷徑，甚至普渡的慈航了。研究學者的歷史，當然是想由其學行顯其學識，自己時常揣摩之外，亦可供有心人觀賞參考。學問之事，既要相互觀摩，師友夾輔，亦貴能孤往，[18]既然不以時代群趨為是，就應由沉潛而千慮一得，以待來者。1957年錢穆認為張君勱等人欲發表中國文化宣言之事「無甚意義」，「學術研究，貴在沉潛縝密，又貴相互間各有專精。數十年來學風頹敗已極，今日極而思反，正貴主持風氣者導一正路。此決不在文字口說上向一般群眾聳視聽而興波瀾，又恐更引起門戶壁壘耳。」[19]在「但開風氣不為師」被曲解為胡思亂想、危言聳聽以至眾從的遁詞的情形下，學術更應遵軌道而重師法。

對於後學者而言，選擇軌道與師法並非易事，瞭解近代學術史事無疑具有參考作用。治學本應眼見為實，切忌道聽塗說，近代學人以術造勢，由勢得名，結果耳學反而重於目驗，無論前賢或時流，正邪高下，都是聽說而來。今人論近代學術，常就主流一線的聲勢著眼，

18 參見《錢賓四先生全集》第53冊，第377、409頁。

19 《致徐復觀書》，《錢賓四先生全集》第53冊，第365頁。

則胡適的科學方法影響最大，傅斯年的史料學成就最高。其實，深入一層看，第一流的學人大都在胡適的十字真言籠罩之外，並且對其方法的科學性不以為然，而被劃進史料學派的不少學人，與傅斯年的主張在若即若離之間。即使號稱沐浴胡適科學方法的曙光進入學術殿堂的新進，究竟是順勢抑或得道，還要另當別論。1940年代稱讚胡適的方法「已經造成了二十多年來的學術新局面，奠定了今日學術界的新基礎」的王重民，在1930年代對胡適的得名還頗有微辭，所以他雖然說胡適最善講方法，其實是「一切的方法都供他使用，而經他使用過，解說過的方法，便都變成了學術界公用的方法。」[20]照此看來，胡適的功勞主要還在推廣，而且由胡適推而廣之的方法究竟與包括王重民本人在內的後進在學術上升堂入室有何關係，尚不清楚。胡適本人的學術成果得到學術界公認者不多，如果其學術方法反而影響最大，除非後來者趨炎附勢或等而下之，並不足以顯示胡適的高明。胡適自己並無金針，卻喜歡教人繡鴛鴦，後繼者取法乎中，則難免一片塗鴉了。

本書得以完成，得到眾多師友的幫助。本系的胡守為、蔡鴻生、姜伯勤諸位先生不僅提供過若干資料，更有耳提面命的學問，其片言隻語的點撥在後學者聽來不僅茅塞頓開，而且有如黃鐘大呂。小環境的學術風氣不輟，與此大有關係。臺北政治大學歷史系的博士生陳以愛女士寄贈了一些重要的港臺版新書舊籍，極具幫助。其以碩士學位論文為基礎修訂出版的大著《中國現代學術研究機構的興起——以北京大學研究所國學門為中心的探討（1922-1927）》（臺北政治大學歷史學系1999年版），無論就規範性與深度而言，水準當在多數博士論

20 《論治學方法》，國立北平圖書館《圖書季刊》編輯部：《圖書季刊》新5卷第1期，1944年3月。

文之上，甚至超過優秀博士論文。所討論的問題與拙著關係密切，原為計劃寫作的一部分，雖然對相關人、事的理解間有不同，基本史實及分析大體已定，進而討論其它問題，更易深入而且確實。中國社會科學院歷史研究所的顧朝女士、臺灣中研院史語所的王汎森教授、日本京都大學的狹間直樹教授、岡村秀典教授和神戶大學的石川禎浩教授以及本系的程美寶博士提供過若干種關鍵性的已刊未刊資料或未曾寓目的中日文新著，使得史料成活一片，問題迎刃而解。韓國瑞南財團和延世大學白永瑞教授、香港中文大學中國文化研究所陳方正所長提供了前往漢城和香港訪問研究的寶貴機會，獲得大量圖書資料。赴臺灣開會期間，中研院近代史所的陳存恭教授幫助查找相關書刊。由於上述機緣，得以克服條件的局限。

書中各章獨立成篇，且寫作時間持續數年，似無體系，其實確有一以貫之的軸線和旨意。只是不願照顧面面俱到的系統，嘗試「講宋學，做漢學」的兩全之法，將大體和條理置於興之所至的一得之見背後，留待有心人玩賞體味。研究進程中，曾向多位師友請益或討論，並吸收了他們的不少研究成果，使得眼界開闊，彌補了思維上的當局者迷。一些章節作為論文發表後，直接間接得到若干意見，在通盤考慮之下對原文有所修訂，或刪改，或增補。個別地方仍舊，並非固執己見，而是覺得原意實有轉折，大體可通，且較近真，一旦改變，反而前後想違。各文獨立發表時少量重合的部分也有所調整，不再一一說明。對於各位賜教者則一併致以誠摯的謝意。

本書得以付梓，還要特別感謝上海古籍出版社的張曉敏先生，倒不是因為什麼市場經濟之下堅持出版不賺錢的學術著作之類本來理所應當的緣故，而是從應允到交稿，幾乎拖了一年，其間關於書名及出版方式，又屢有變化，社方始終容忍諒解，令人感動和歉疚。今年公私事多，固然大忙，但一再延期，忙尚在其次。史料愈近愈繁，很難做到竭澤而漁，而個人精力、見識、閱歷有限，讀書不免偏弊。未經過目即妄下論斷，必然失之望文生義甚至鑿空逞臆。更有甚者，讀書多而見識廣，才能通方知類，目的高遠，否則高談闊論，不過前賢唾餘。一旦公諸於眾，便成批判對象，無可遁形。因此每當交稿期限迫近，總感到惴惴不安。現在雖然告一段落，仍望方家不吝賜教，以俾改正修訂。

2000年10月於廣州

第一章
晚清民國的國學研究與西學

近代國學研究，從1902年梁啟超謀創《國學報》始，到1950年代初無錫國學專修學校、齊魯大學國學研究所以及北京大學《國學季刊》合併或停刊止，歷經半個世紀。其中流派紛呈，觀念不一，但總體上看，乃是數百年間中西文化的交流融合，特別是晚清西學東漸之風的鼓蕩，最終導致中國文化在學術層面上融入近代世界體系。「西學」這一東亞人特有的模糊概念，作為對外來新的思想和學術的籠統觀照，不僅刺激了國學研究的興起，更制約著其發展趨向。

一　西人東來

國學一詞，古已有之，但是指國家一級的學校。近代意義的國學，其概念在清末與20世紀二三十年代曾幾度引起爭論，終因界定含糊，分歧太大，無法統一。一種有代表性的意見是：相對於新學指舊學，相對於西學指中學。引伸而言，即中國傳統學術。不過，近代國學並非傳統學術的簡單延續，而是中國學術在近代西學影響下由傳統向現代轉型的過渡形態。要理解這一點，從定義出發徒勞無功，唯一的要訣是沈曾植所謂以俱舍宗解俱舍學之法，即從學術史的變化發展找出國學的時空位置，進而把握其內涵。

目前所知最早使用國學一詞者有三，其一，1902年秋梁啟超在日本謀創《國學報》，曾和黃遵憲函商，希望由他倆人加上馬鳴分任其事。黃遵憲則建議撰寫《國學史》[1]。

其二，1902年吳汝綸赴日本考察教育，曾經擔任《時務報》東文翻譯、出版過號稱世界上最早的《支那文學史》的古城貞吉明確勸其「勿廢經史百家之學，歐西諸學堂必以國學為中堅」[2]。在稍後答覆京師大學堂同仁委託調查事項的函件中，吳汝倫明確表示：

> 「柳溪兄所示二條：日本與吾國，國勢、政體、民情皆有異同，比較之法，不可不講。日本漢學，近已漸廢，吾國不可自廢國學。華學與西學有不能並在一學者，今開辦之始，不能遽臻妥葉。日本現行學制，太氐西國公學，而尤以德國為依歸。鄙心所疑者在中學，科目太多，時刻太少，程度太淺，餘則似無可議。」[3]

其三，據說1900年王均卿、沈知方、劉師培、宋雪琴等人在上海創立國學撫輪社。後一事時間上尚有可疑，因為國學扶輪社的出版活動，可查證的多在1905年以後[4]。倒是出版《三十三年落花夢》的國學社，至少1903年已經成立。

儘管仍難據以斷定近代意義的「國學」一詞出現的最早時間，但似可做如下判斷：1、較普遍使用近代意義的「國學」，是20世紀初的事。2、其語義的轉變，直接受明治維新後日本學術趨向變化的影響。

---

1 丁文江、趙豐田編：《梁啟超年譜長編》，上海人民出版社1983年版，第292頁。

2 《桐城吳先生（汝綸）日記》壬寅六月三十日（1902年8月3日），沈雲龍主編：《近代中國史料叢刊》第37輯之367，臺北，文海出版社1969年影印，第796頁。

3 《答大學堂執事諸君餞別時條陳應查事宜》光緒壬寅九月十一日，施培毅、徐壽凱校點：《吳汝綸全集》第3冊，合肥，黃山書社2002年版，第443頁。

4 朱聯保編撰：《近現代上海出版業印象記》，上海，學林出版社1993年版，第277頁。

西學東來與中學西傳，由來已久，相互影響頗大。[5]尤其是鴉片戰爭以來，西學憑藉武力全面東侵，迫使中國人由師夷長技而中體西用。朝廷和士大夫對西學先進性的承認導致中國固有文化權威的動搖，這種情況在八國聯軍之後演變成真正的危機。一方面，「自義和團動亂以來，包括政府官員、知識界、紳士以及商人階級在內的人士，幾乎普遍地確認，向西方學習是十分必要的，反對西式教育的人幾乎不見了。」[6]另一方面，中學日益成為舊學的代名詞，被視為無用之物。這一變化從中國傳統典籍的身價浮沉中表現得尤具象徵性。有人說：

> 「吾曩以壬寅走京師，當喪亂之後，士夫若夢初醒，汲汲談新學倡學堂，竊喜墨守之習之由是而化也。入琉璃廠書肆，向者古籍菁英之所萃，則散亡零落，大非舊觀，聞悉為聯軍搜刮去，日本人取之尤多。而我國人漠然無恤焉，以為是陳年故紙，今而後固不適於用者也，心又悲之。迨乙巳返里，幽憂索居，南中開通早士，多習於捨己從人之便利，日為鹵莽浮剽之詞，填塞耳目，欲求一國初以前之書於市肆，幾幾不可得。比來海上風會所至，乃益燦然。」[7]

這種「數年之間，扶東則倒西」的劇變，在令知識人哀歎舊學式微的同時，也激發了他們強烈的種族危機意識。

5　關於西學東來的影響，歷來有所爭議。就學術論，胡適與陳垣對於西學究竟有無直接影響乾嘉漢學，意見截然相反。胡斷然否認。但近人研究的結論較傾向於陳垣的判斷。

6　徐雪筠等譯編：《上海近代社會經濟發展概況（1882-1931）——〈海關十年報告〉譯編》，上海社會科學出版社1985年版，第164頁。

7　《張南袱輯印佚叢自序》，《國學萃編》第6、7期，宣統元年（1909年）春三月。

在清末民初國學宣導者的言論中，顧炎武的「亡國」與「亡天下」之辨被經常提及。或者可以說，天下意識是這些人倡行國學的重要動因。顧氏《日知錄・正始》說：「有亡國有亡天下，亡國與亡天下悉辨？曰：易姓改號，謂之亡國。仁義充塞，而至於率獸食人，人將相食，謂之亡天下。」這種自先秦傳衍下來的觀念，本是士人對諸侯割據的一種文化超越，顯示出作為文化集合體的中國，文化存亡乃是民族興衰的首要因素。與此相應，至少在知識人的自覺中，文化擔負者的社會責任，較權力執掌者更為重大。「蓋以易朔者，一家之事。至於禮俗政教，澌滅俱盡，而天下亡矣。夫禮俗政教固皆自學出者也，必學亡而後禮俗政教乃與俱亡」[8]。

近代國學宣導者的傳統天下意識與近代世界眼光交相作用，他們說：「試觀波爾尼國文湮滅，而窪肖為墟；婆羅門舊典式微，而恒都他屬。是則學亡之國，其國必亡，欲謀保國，必先保學。昔西歐肇跡，兆於古學復興之年，日本振興，基於國粹保存之論，前轍非遙，彰彰可睹，且非惟強國為然也。」[9]「是故國有學則雖亡而復興，國無學則一亡而永亡。何者，國有學則國亡而學不亡，學不亡則國猶可再造；國無學則國亡而學亡，學亡則國之亡遂終古矣。此吾國所以屢亡於外族而數次光復，印度、埃及一亡於英而永以不振者，一僅亡其國，一則並其學而亡之也。」[10]神州正朔所在，文化託命之身，既標明天下重於國家的政治見解，又道出「天下興亡，匹夫有責」的社會涵義。所以當時人屢有「國可亡，天下不可亡」之語。中國數千年歷經分合治亂而一脈相傳，「天下」即文化的作用不可謂不大。這種與世界觀念相協調的天下意識，成為近代民族競存的重要支柱。

8 潘博：《國粹學報敘》，《國粹學報》第1年第1期，1905年2月23日。

9 《擬設國粹學堂啟》，《國粹學報》第3年第1期，1907年3月4日。

10 許守微：《論國粹無阻於歐化》，《國粹學報》第1年第7期，1905年8月20日。

除沿用古訓，近代知識人又注入新的語義。19世紀以來，對中國士人心中的「天下」衝擊最大者莫過於泰西思想學術。其勢頭到20世紀初出現三種新趨向，其一，清政府已公開表態取法歐美。其二，一些列強開始在其勢力範圍內推行非中國化教育。其三，中國的知識人，特別是青年士子中，歐化傾向日益氾濫。這大大激發了一些人的天下意識。有的從學術與土地人種、風俗政教的關係立論，指出：「無學不可以國也，用他人之學以為己學，亦不可以國也」，對於吾國人士慕泰西學術之美，「乃相與連袂以歡迎之，思欲移植其學於中國，而奉之以為國學」的狀況表示不滿，既反對「奴隸於吾往日同洲外族之學」，也反對「奴隸於今日異洲外族之學」[11]。儘管國學倡行者的態度傾向不一，歐化風行無疑是激生其強烈反應的社會根源。

對文化入侵的反應不止一途，興國學以抗西學歐化，還有學術因素的直接刺激。在歐洲，漢學研究經過幾個世紀的積累，從19世紀起，進入學院化發展階段，法、英、荷蘭等國相繼設立了專門的漢學講座、漢學系或研究院，德國則於1887年在柏林大學設立東方語言研究所，1912年正式設立漢學講座。[12]不過，由於中國學者缺乏與國際學術界交流的能力和條件，除傳教士帶來的偶然信息外，歐洲漢學研究對中國的影響並不明顯。直接起刺激作用的，是從19世紀90年代起日益為舉世關注的中國西北考古活動（歐洲視為中亞遠東考古的一部分）。這個由拿破崙入侵埃及帶動起來的世界性考古大發現時代，在持續了一個世紀後重心逐漸移向中亞遠東，30年間，俄國的克萊門茲（D.Klementz）、科茲洛夫（P.K. Kozloff）、奧登堡（S.Ol'denburg）、英國的斯坦因（A.Stein，匈牙利人）、德國的格魯威德爾（A.Grunwedel）、

11 鄧實：《雞鳴風雨樓獨立書》，《政藝通報》第二年第23號，1904年1月2日。

12 張國剛：《德國的漢學研究》，北京，中華書局1994年版，第30-35頁。

勒柯克（A.von Le Coq）、法國的伯希和（P.Pelliot）、瑞典的斯文赫定（Sven Hedin）、美國的華爾訥（L.Warner）、安得思（R.C.Andreus）等眾多人士，均多次來華進行考古探險發掘，促使國際東方學會成立了國際中亞遠東探險協會。所發現包括敦煌文書、西域簡牘在內的一大批文獻器物和遺址，令世界驚歎，同時也震動了國人。[13]後者瞭解到，歐洲學者把印度學與中國學視為20世紀將影響全球學界的兩大古學。[14]上述信息，成為國學倡行者反覆引證的事實，以固有文化的國際價值反襯其本土的危境。20年代後國學研究興盛，除了輸入新知以整理國故外，顯然也與歐洲因一戰慘烈而轉向東方文化尋求寄託有關。

國學一詞的近代意義，轉借自日本。據小學館《日本國語大辭典》，國學本為江戶時代興起的一門學問，主要是對日本的古代典籍進行文獻學式的研究，以探明其固有文化，又稱和學、皇學或古學。荷田春滿、賀茂真淵、本居宣長、平田篤胤等號稱國學四大家。明治維新後，日本政府推行歐化政策，導致社會出現主張徹底洋化的偏激傾向。1888年，三宅雪嶺、志賀重昂等人成立政教社，鼓吹國粹思潮，以求扭轉偏向。世紀交替，恰值國粹主義與歐化主義在日本兩軍對壘之際，這無疑會引起大批東渡求學或遊歷的中國官紳士子的關注。[15]同時，日本的中國學在繼承傳統漢學成就的基礎上，學習引進歐洲近代學術的觀念方法，取得長足發展，形成「支那學」與東洋學

13 《近年西北考古的成績》，《賀昌群史學論著選》，北京，中國社會科學出版社1985年版，第102-118頁；雅克・布洛斯（Jacque brosse）著，李東日譯：《從西方發現中國到國際漢學的緣起》，《國際漢學》編委會編：《國際漢學》第1期，北京，商務印書館1995年版。

14 鄧實：《古學復興論》，《國粹學報》第1年第9期，1905年10月18日。

15 參見鄭師渠：《晚清國粹派——文化思想研究》，北京師範大學出版社1993年版，第1章。

兩大分支，並得到歐洲漢學界的承認與重視。

與對歐洲漢學的隔漠不同，中日兩國學者間一直保持密切交往。尤其在漢學界，彼此聲氣牽動。據1893年赴日的黃慶澄記：

> 「查東人最好古，往往有隋唐以前書中土已佚者，彼國猶珍存之。自西學盛行，此風一變，昔所存者，棄若弁髦。曩閩粵商人，間有購取以歸，而獲重利者。前星使黎蒓齋觀察蒞任，竭力搜羅，刻《古佚叢書》一部。其時，署中楊君（守敬）亦嗜學好古，徧處採買，得古書甚夥。近我京都琉璃廠書賈，復迭次搜販。於是，市中古書，為之一空。間有一二出售者，亦必昂其價值，視為奇貨，而士大夫所藏者尤為珍秘雲。」

黃慶澄此行代孫詒讓訪求古書，有多部即因價昂未能購取。[16]這種情形到20世紀初發生捩轉，大批日本人來中國搜購古代文獻，清末有人記道：

> 「近歲新學甫有萌芽，舊學已漸陵替，有青黃不接之歎。日本藏書家歲至吾國京師及吳中都會，捆載舊本經史子集與金石書畫之屬，不惜重貲購歸藏貯，以致國朝人詩文集凡在乾嘉以前稍稍有名，今無刻本，靡不昂貴，故收書甚為不易，施愚山詩文全集、鮚綺亭內外集均須三四十金，視十年前蓋三倍矣。」[17]

---

16 《東遊日記》，羅森等：《早期日本遊記五種》，長沙，湖南人民出版社1983年版，第251頁。

17 孫雄（同康）：《〈道咸同光四朝詩史一斑錄三編〉自序》，《國學萃編》第5期，宣統元年（1909年）閏二月。

古器物亦然。據說「商界之競以販買中國古美術品為事，始於日俄戰爭告畢及日本入高麗之時，彼等之訪覓骨董，能於陵墓之所藏，獨具隻眼，較諸本國之內地人情形更為熟悉，華美而兼貴重之唐宋兩代陶器，多有自陵墓中發現者。」[18]

舊學而外，後起的新學術也迅速跟進。1902-1914年間，大谷光瑞及其弟子桔瑞超等，先後三次組織中亞探險隊，到中國西北考察，搜得大批文獻文物，還有多人到中國東北等地考古發掘，流散到民間的敦煌卷子及各類圖書也大量為日本人收購。這使得日本的中國研究很快躍進到與歐洲漢學並駕齊驅的地位，令中國學者感到極大的壓力。日本朝野想方設法收購中國古代文獻器物之事在各種國學刊物上被一再披露。1907年，江南著名的陸氏皕宋樓藏書為日本岩寄氏收購，《國粹學報》第44期譯載島田彥楨所撰《皕宋樓藏書源流考並購獲本末》，董康於跋識中特意點醒：

> 「頻年日本書估，輦重金來都下，踵項相望，海內藏書家與皕宋樓埒者，如鐵琴銅劍樓，如海淵閣，如八千卷樓，如藝風樓，如長白某氏某氏等，安知不為皕宋樓之續。前車可鑒，思之慈懼，用特印行皕宋樓源流考，以告有保存國粹之責者。」

學術資源的優勢與學術發展適成正比，使日本學者在中國研究領域領先一籌，直到20年代中期，桑原騭藏評介陳垣著述時，仍認為中國史學與國際學術規範距離太遠。[19]而陳垣則問胡適：「漢學正統此時

---

18 《外交部譯發馬克密君保存中國古物辦法之函件》，《國學雜誌》第5期，1915年10月。

19 桑原騭藏著，陳彬和譯：《讀陳垣氏之〈西域人華化考〉》，《北京大學研究所國學門周刊》第6期，1925年11月18日。

在西京呢？還在巴黎？」兩人只能相對歎息。[20]這樣強烈的反差，激勵中國學者努力奮進。廈門大學國學院發掘計劃書稱：

> 「二十年來，歐美考古學者以我國有最古之文明與悠久之歷史，群來東方實地考查，其研究結果之公表於世而有裨益於東方史學為世界所週知者，如沙畹、伯希和諸氏，其最著者也。近數年中，歐美日本大學教授及博物院代表來華調查古跡者日益多，此其故可深長思矣。」

該院致力於考古發掘研究，正是要使中國的考古學「於世界學術界中占一位置」[21]。各國學研究機構建立後，均強烈反對歐美、日本的學術侵略與文化掠奪行為，或堅決阻止，或要求聯合進行探險發掘，以便監督，防止國寶外流。

二　科學與學科

在維護中國之所以為中國的學術神經之時，近代國學的宣導、研究者並非一味固守舊軌。梁啟超講得很清楚：

> 「近頃悲觀者流，見新學小生之吐棄國學，懼國學之從此而消滅，吾不此之懼也。但使外學之輸入者果昌，則其間接之影響，必使吾國學別添活氣，吾敢斷言也。但今日欲使外學之真精神普及於祖國，則當轉輸之任者，必邃於國學，然後能收其

---

20 《胡適日記》（手稿本）1931年9月14日，臺北，遠流出版事業有限股份公司1990年版。

21 《廈大周刊》第158期，1926年10月9日。

效。以嚴氏與其它留學歐美之學童相比較，其明效大驗矣。此吾所以汲汲欲以國學為我青年勸也。」[22]

黃遵憲不贊成辦《國學報》，是認為中國病在尊大固蔽，須先大開門戶，容納新學，「俟新學盛行，以中國固有之學，互相比較，互相競爭，而舊學之真精神乃愈出，真道理乃益明，屆時而發揮之，彼新學者或棄或取，或招或拒，或調和或並行，固在我不在人也。」主張「略遲數年再為之」。[23]

國粹派談到國粹與歐化的關係時，也刻意強調：「夫歐化者，固吾人所禱祠以求者也。然返觀吾國，則西法之入中國將三十年，而卒莫收其效，且更滋甚焉。毋亦其層累曲折之故，有所未瑩者乎。」「一言以蔽之，國粹也者，助歐化而愈彰，非敵歐化以自防」。[24]「是故本我國之所有而適宜焉者國粹也，取外國之宜於我國而足以行焉者亦國粹也。」[25]《國粹學報》在略例中特別規定：「本報於泰西學術，其有新理特識足以證明中學者，皆從闡發。閱者因此可通西國各種科學。」

此態度後來為大多數國學宣導者研究者不同程度地信奉。激進如胡適，在《國學季刊》發刊詞中聲言：

「我們現在治國學，必須要打破閉關孤立的態度，要存比較研究的虛心。第一，方法上，西洋學者研究古學的方法早已影響日本的學術界了，而我們還在冥行索圖的時期。我們此時正應該虛心採用他們的科學的方法，補救我們沒有條理系統的習

22 《論中國學術思想變遷之大勢》，《新民叢報》第22號，1902年12月14日。

23 丁文江、趙豐田編：《梁啟超年譜長編》，第292-293頁。

24 許守微：《論國粹無阻於歐化》，《國粹學報》第1年第7期，1905年8月20日。

25 順德黃純熙撰：《國粹保存主義》，《政藝通報》第21期，1905年7月17日。

慣。第二，材料上，歐美日本學術界有無數的成績可以供我們的參考，比較，可以給我們開無數新法門，可以給我們添無數借鑒的鏡子。學術的大仇敵是孤陋寡聞；孤陋寡聞的唯一良藥是博採參考比較的材料。」

已經傾向守成者如廖平，也不絕對排斥西學，時有比附之意，以顯其心中有西學的影子在。其弟子李俊卿說：「時當海禁初開，歐美學術之移入中土者，疏淺且薄，不足以副先生之採獲。先生雖樂資之為說，而終不能於先生之學有所俾。使先生之生晚二十年，獲時代之助予，將更精實絕倫也。」[26]更多的人雖不一定明確表態，實際研究中很少不取法借鑒西學者。

國學宣導者的出發點最初不在研究而在保存，以養成國民的愛國心，所以強調抱殘守缺，政治或文化關懷明顯高於學術追求。此後，西學的精密系統日益影響國人的學術旨趣。較早設立的國學保存會每月開講習會，商量舊學，相互切磋，並請劉師培擔任正講師。該會還準備開設國粹學堂，因經費不足而罷。但所擬定的學科預算，清楚顯示出近代國學的內涵與舊學大相徑庭。其學制為三年，科目包括經學、文字學、倫理學、心性學、哲學、宗教學、政法學、實業學、社會學、史學、典制學、考古學、地輿學、曆數學、博物學、文章學、音樂、圖畫、書法、翻譯、武事等，[27]至少形式上與舊學分科截然不同，採用了西學的分類法。

此外，國學宣導者大都從事新式文教事業，從私人書院式傳習轉向憑藉近代大眾傳媒向社會廣泛宣傳。而對這一舶來品版面的模仿，

---

26 蒙文通：《廖季平先生傳》，廖幼平編：《廖季平年譜》，成都，巴蜀書社1985年版，第106頁。

27 《國粹學報》第3年第1期，1907年3月4日。

很容易引起固有學術表述形式的改變。從傳統札記變為近代學術的標誌——論文，據說以《國粹學報》為最早。[28]該報從第5年起，政論性社說明顯減少，而以學術著作為替代。第6年更取消社說，代以純學術的通論。

國學保存會對後來的國學研究影響極大，或者說，它顯示了近代國學研究共同路向的基調。從清末到民初，有章太炎開辦於東京的國學講習會、國學振興社，章氏弟子馬裕藻等人發起的北京、杭州國學會，謝無量、廖平、劉師培、宋育仁等人執掌的成都國學館（後改名國學學校、國學專門學校），羅振玉、王國維的《國學叢刊》（1911年北京、1914年日本），唐文治的無錫國學專修館，吳仲、沈宗畸等人的《國學萃編》（1908年北京），陳爾錫、呂學沅等人的國學扶危社及《國學》雜誌（1914年東京、北京），倪羲抱等人的國學昌明社與《國學雜誌》（1915年上海），南社姚光等人的《國學叢選》等。一些青年顯然為此所吸引，也呼籲「振興國學」，[29]決心編撰《國學志》（如顧頡剛）。統治者方面，鼓吹中體西用的張之洞等亦主張保存國粹，倡設各省存古學堂及古學院，還有人奏請設立國學專門學堂。[30]

這一時期的國學，無論派分如何，從主張、章程、科目看，抱殘守缺的一面更為凸顯，但也吸收西學。東京國學講習會宣稱：「真新學者，未有不能與國學相挈合者也。」[31]王國維更直接反對言學者有新舊中西之爭，「正告天下曰：學無新舊也，無中西也」，指爭論者為不學或不知學之徒。他認為：「世界學問，不出科學、史學、文學，

---

28 《一個對比》，《賀昌群史學論著選》，第534頁。

29 聞一多：《論振興國學》，《清華周刊》第77期，1916年5月17日。

30 趙炳麟：《諫院奏事錄・請立國學專門疏》，《趙柏岩集》卷一，第30-31頁，沈雲龍編：《近代中國史料叢刊》第31輯之303，臺北，文海出版社1969年版，第955-957頁。

31 《國學講習會序》，《民報》第7號，1905年11月26日。

故中國之學，西國類皆有之，西國之學，我國亦類皆有之，所異者廣狹疏密耳。」「中國今日實無學之患，而非中學西學偏重之患。……中西二學盛則俱盛，衰則俱衰，風氣既開，互相推動。且居今日之世，講今日之學，未有西學不興而中學能興者，亦未有中學不興而西學能興者。……慮二者之不能並立者，真不知世間有學問事者矣。」[32] 官方宣導，雖被斥為「挾其左右學界之力，欲阻吾民圖新之先機，以是為束縛豪傑之具辭」[33]，而且張之洞確有重守成輕研究之意，[34]但以國學為專門，本身就是對西學影響的回應。

20世紀20-30年代前半，是國學研究的鼎盛期。由於在新文化運動中暴得大名的胡適等人提倡整理國故，使得國學研究成為時尚。國學教育和研究機構競相設立，不僅青年後學踴躍投考，還引起社會的廣泛關注；專門雜誌和出版社紛紛出臺，一些報刊則特闢國學專欄，以論文、專著、教科書和叢書的形式發表了大量國學論著；既有的國學宣導者仍繼續鼓吹，一批少壯新進之士又加入行列；標明國學的學術性結社明顯增多；響應者除集中於京滬外，還擴展到西北、東北、閩粵及香港等地。

由五四新文化鼓動起來的國學熱潮，一開始就與從歐美輸入科學主義連袂而至。毛子水發表於《新潮》雜誌第1卷第5號（1919年5月）的「國故與科學的精神」，直言國故學是現在科學的一種，「必須具有『科學的精神』的人，才可以去研究國故」，『科學的精神』是研究國故學的根本。雖然清代漢學家的方法也有科學的精神蘊含其中，但那是不自覺的，「最容易有弊」。要將不自覺轉變為自覺，應當取法

32 《〈國學叢刊〉序》《觀堂集林．別集》卷四，《王國維遺書》第三冊，第202-206頁。

33 許之衡：《讀〈國粹學報〉感言》，《政藝通報》第21期，1905年7月17日。

34 章太炎《自述學術次第》謂：戊戌「張嘗言：『國學淵微，三百年發明已備，後生但當蒙業，不須更事高深。』」

近三百年發展起來的現代科學精神，即歐西文明。[35]也就是胡適在《新思潮的意義》一文中所說：「研究問題，輸入學理，整理國故，再造文明。」[36]

然而，在歐化熱浪中，胡適的這一點理性仍被斥為「鑽到爛紙堆裏去白費勁兒」。為了免於誤導青年的罪責，胡適後來表示「深深懺悔關於研究國故的話」，聲稱自己不存衛道的態度，也不想從中尋求天經地義來安身立命，[37]而是要「捉妖」和「打鬼」，「化黑暗為光明，化神奇為臭腐，化玄妙為平常，化神聖為凡庸」，「要人明白這些東西原來『也不過如此！』」以國故學者判斷舊文化無用的結論，「使少年人一心一意地去尋求新知識和新道德」，[38]並宣稱國學是條「死路」。這樣，整理國故實際上成為「介紹歐化」的前驅。受此影響，在世界潮流面前有落伍之感的部分南社社員組成新南社，「願一棄從前纖靡之習」，一面「整理國學」，一面「引納新潮」。[39]

對於胡適等人的科學，章門弟子的《國故月刊》固然不滿，南京東南大學的《學衡》派也不以為然。這個以歸國留學生為核心、主張昌明國粹，融化新知的同人雜誌，與胡適等人爭論的焦點其實是輸入西學的正統和研究學術的純正。其簡章規定，於國學則主以切實之工夫為精確之研究，「於西學則主博極群書，深窺底奧，然後明白辨析，審慎取擇，應使吾國學子，潛心研究，兼收並覽，不至道聽塗

35 毛子水：《「駁〈新潮〉『國故和科學的精神』篇」訂誤》，《新潮》第2卷第1號，1919年10月。引文中部分意思出自該文所附胡適函。

36 《新青年》第7卷第1號，1919年12月。

37 《研究所國學門第四次懇親會紀事》，《北京大學研究所國學門月刊》第1卷第1號。

38 《整理國故與打鬼——給浩徐先生的信》，《胡適文存》第3集，上海，亞東圖書館1930年版，第211-217頁。

39 《新南社發起宣言》，《新南社組織大綱》，上海《民國日報》1923年5月5日。

說，呼號標榜，陷於一偏而昧於大體也。」[40]隱指胡適派的偽西學或偽學術。兩派的是非曲直暫且不論，由此升溫的國學熱，在教育和研究領域引起連鎖反應。

自1922年北京大學成立文科研究所國學門之後，清華、廈門、燕京、齊魯和乃至有心與北京大學新文化派立異的東南大學等校相繼組建國學研究所或國學院，輔仁、廈門、東北、西北、大夏、中國、齊魯、國民、正風等大專院校成立或改建了國學系或國學專修科，昆明、長沙等地則開辦國學專修館或國學專修學校。在1928年召開的全國教育會議上，甘肅教育廳提出《融合併發揚中華民族文化案》，要求從融合五族文化入手，鞏固共和。其八項辦法中的兩條，一是大學院設立國學研究所，以整理國故；一是全國各大學均設國學專科。[41]

1920年代末，雖然廈門大學國學院、清華大學研究院國學科相繼解體，北京大學研究所國學門改組為國學館之後也漸趨消沉，尤其是中研院歷史語言研究所的成立，傅斯年公開表示反對國故的觀念，力爭東方學的正統在中國，使得籠統的整理國故出現分流。同時，1920年代後期堅持新文化方向而認為整理國故與新文化背道而馳的一批人不斷提出質疑和批評，本來「主張在新文學運動的熱潮裏，應有整理國故的一種舉動」[42]的鄭振鐸，也轉而質疑國學的蘇生是否「文藝復興」，呼籲「打倒所謂『國學家』」，「且慢談所謂『國學』」，而以全盤輸入西方科學和文化以建設新的中國為生路。[43]加上整理國故又與尊孔讀經的復古思潮糾纏在一起，失去了初期一哄而起的熱鬧，不少從

---

40 《學衡》第1期，1922年1月。

41 中華民國大學院編：《全國教育會議報告》，第182-184頁。沈雲龍編：《近代中國史料叢刊續編》第43輯之429，臺北，文海出版社1977年影印，第183頁。

42 《新文學之建設與國故之新研究》，張若英編：《中國新文學運動史資料》，1934年版，香港，中文大學近代史料出版組1973年影印，第207頁。

43 《且慢談所謂「國學」》，《小說月報》第20卷第1號，1929年1月。

眾的青年棄之而去。不過，燕京大學、齊魯大學的國學研究所或新設或續辦，南方的幾家國學會仍在積極活動，一貫堅持保守固有文化的無錫國學專修館等教育機構還呈向上趨勢，各大學興建或改建國學系及各地創辦國學專修學校的則隨慣性移動，後來才逐漸廢棄「國學」的標籤，改回中國文學系之類本名。

胡適的整理國故雖然背後有歐洲漢學的影子，與傅斯年的主張相通，畢竟不排斥國學的概念。直到1928年北京大學醞釀改革，胡適仍堅持5年前與葛利普、李四光等人擬定的「北京大學大學院規程草案」，欲將北大改作研究院，分為自然科學院、社會科學院、國學院和文學院（或外國文學院）等四個分院。[44]北大的《國學季刊》時斷時續，還在出版。這面在整理國故運動中最早豎起的國學大旗不倒，就依然不乏回應者。

學術上最能體現國學與西學關係的，當屬國學研究所和國學院的組織。其建制按照近代西學分類設科，其研究方法與課程遵循國際學術範式。北大國學門分設文字學、文學、哲學、史學、考古學等5個研究室，並相繼創立歌謠研究會、風俗調查會、整理檔案會、古跡古物調查會（後改名考古學會）、方言調查會，以貫徹其學術宗旨。清華研究院國學科融合中國書院與英國大學制，分中國語言、歷史、文學、音樂、東方語言，另設考古學陳列室。[45]燕京大學國學研究所確定的國學範圍是，歷史、文學、哲學、文字學、考古學、宗教、美術。[46]東南大學國學院計劃分科學、典籍、詩文三部，從學說、圖譜、器物三方面，運用各種相關學科的方法，研究中國的民族、語言文字、思想學術、文學、詩詞曲劇、美術、天文數學、法制、經濟

44 《胡適日記》（手稿本），1929年2月4日。

45 《研究院紀事》，《國學論叢》第1卷第1號。

46 《燕京大學國學研究所徵求名著稿本通告》，《燕京學報》第4期，1928年12月。

學、交通及國際交通、農商工業、哲學、教育、宗教風俗等歷史現狀。[47]齊魯大學國學研究所分中國哲學、史地、文學、社會經濟四科。[48]

廈門大學國學院籌備之際，該校文理商教各科主任均參與其事，結果所訂章程囊括一切，分歷史古物、博物（指動植礦物）、社會調查、醫藥、天算、地學、美術、哲學、文學、經濟、法政、教育、神教、閩南文化等14組。後招聘到北京大學研究所國學門的幾位骨幹，組織上基本繼承北大風格，設語言文字學、史學及考古學、哲學、文學、美術音樂等5組，並組織風俗調查會。[49]這些設置，均突破了傳統學術七略、四部等分類，體現了近代西學的精神。

形式改變，是內容變化的表現。國學雖是中國固有學術的代名詞，機構卻是現代教育組織的一部分。各國學院校系所的課程均增添西學，即使傳統科目，也依據現代學術規範重新編排。廈門大學國學系要求選修普通發音學、比較語言學、修辭學、英國文學史、西洋美術史、人類學、美學概論、印度和泰西哲學。齊魯大學國學系增設了邏輯學、文學史、文字學、修辭學等課程。中國大學國學系在吳承仕的帶領下，改革課程，增設了唯物辯證法、政治經濟學、西洋文學史、新俄文學選讀及由新學者講授的中國歷史哲學課。就連無錫國學專科學校，其學生所開列的最低限度國學書目也有常識一類，包括史地學、哲學、論理學、政治學、社會學、經濟學、自然科學、教育學、心理學、數學和英、日文。[50]北大《國學季刊》編輯略例規定：

---

47 《東南大學國學院整理國學計劃書》，《國學叢刊》第1卷第4期，1923年12月。

48 《國學研究所業已成立》，《齊大月刊》第1卷第1期，1930年10月10日。

49 《廈門大學國學研究院組織大綱》，《廈大周刊》第134期，1926年1月2日；《國學研究院章程》，《廈大周刊》第160期，1926年10月23日。

50 陶存煦遺稿：《天放樓文存》下冊，影印稿本，第637-639頁。

「本季刊雖以『國學』為範圍，但與國學相關之各種科學，如東方古語言學、比較語言學、印度宗教及哲學，亦與以相當之地位。」

該刊雖文言與白話兼收，但一律横排，並用新式標點，開一代新風。與北大新文化派多有爭執的南高學派，所辦《史地學報》開始也是橫排，其內容的西學色彩更加濃重。

研究機構的課程設置與指導學生更接近國際學術規範。被胡適稱為可以代表「『整理』是用無成見的態度，精密的科學方法，去尋求那已往的文化變遷沿革的條理線索」之精神的北大國學門，有林玉堂開設的「中國比較發音學」和「標音原則」班，講解以國際音標注國語及方言的方法，考定中國重要方言的音聲。其方言調查會宣言書特意指明中西治學方法不同，「今日方言調查範圍，非僅區區訓詁學中之一事，而實為與音韻學、殖民史、印度支那語言學等不可分離的一種研究。」[51]而風俗調查會將風俗調查視為「研究歷史學、社會學、心理學、行為論、以及法律、政治、經濟等科學上不可少的材料」[52]，並批評一般人對這門學問的輕蔑。[53]古跡古物調查會認識到考古學範圍廣，發展會員時特別提出：「應網羅地質學、人類學、金石學、文字學、美術史、宗教史、文明史、土俗、動物、化學各項專門人材協力合作。」[54]

---

51 《北京大學日刊》第1421號，1924年3月17日。

52 《國學門紀事・致本校同學啟事》，《國學季刊》第1卷第3號，1923年7月；《北大風俗調查會徵集各地關於舊曆新年風俗物品之說明》，《北京大學研究所國學門月刊》第1卷第5號。

53 顧頡剛：《一九二六年始刊詞》，《北京大學研究所國學門周刊》第2卷第13期，1926年1月。

54 《國學門紀事・附古跡古物調查會草章》，《國學季刊》第1卷第3號，1923年7月。

清華研究院目的有二，一是對西方文化宜有精深之研究，二是對中國固有文化之各方面須有通徹之瞭解。[55]考試科目除經史、諸子、文學、小學外，有世界史、統計學、人類學、西洋哲學、中國哲學、普通語音學、心理學、聲學、數學、以及東西交通史、東方語言學、西人之東方學和多種外國文，普通演講和指導科目則有歷史研究法、中國文化史、東西交通史、普通語言學、方音學、現代方言學、人文學、考古學、人體測驗等。廈大國學院成立時，主任沈兼士認為：「現時欲研究古學，必得地質學、人類學、考古學、古生物學等等，作為參考，始有真確之可言」[56]。該院師生的選題均偏重上述領域。

對於中國固有學術，國學研究者在繼承乾嘉樸學實事求是精神的基礎上，吸收歐美現代學術的方法，擴展視野，建立規範，創造出「新國學」或「適應新潮的國學」。當時尚在留學的劉復說：

> 「我們只須一看北京大學研究所國學門中所做的工，就可以斷定此後的中國國學界，必定能另闢一新天地，即使是一時還不能希望得到多大的成績，總至少能開出許許多多古人所夢想不到的好法門。我們研究文學，決然不再做古人的應聲蟲；研究文字，決然不再向四目蒼聖前去跪倒；研究語言，決然不再在古人的非科學的圈子裏去瞎摸亂撞；研究歌謠民俗，決然不再說五行志裏的鬼話；研究歷史或考古，決然不再去替已死的帝王做起居注，更決然這至於因此而迷信帝王而拖大辮而鬧復辟！總而言之，我們『新國學』的目的，乃是要依據了事實，就中國全民族各方面加以精詳的觀察與推斷，而找出個五千年

---

55 吳宓：《清華開辦研究院之旨趣及經過》；《研究院章程》，《清華周刊》第351、360期。

56 《國學研究院成立大會紀盛》，《廈大周刊》第159期，1926年10月16日。

來文明進化的總端與分緒來。」[57]

甚至對乾嘉漢學，胡適等新進學人也予以批評。日本學者注意到：

「支那學者多不解科學的方法，猶清代學者之考證學，實事求是，其表面以精巧的旗幟為標榜，然其內容非學術的之點不少，資材之評判，亦不充分，論理亦不徹底，不知比較研究之價值。今日觀之，乃知從來支那學者之研究方法，缺陷甚多，具有新思想之支那少壯學者亦承認此缺陷（觀《國學季刊》第一卷第一號之發刊宣言）。」[58]

胡適曾經感歎道：

「三百年的古韻學抵不得一個外國學者運用活方言的實驗，幾千年的古史傳說津不起三兩個學者的批評指謫。然而河南發現了一地的龜甲獸骨，便可以把古代殷商民族的歷史建立在實物的基礎之上。一個瑞典學者安特生（J・G・Anderson）發見了幾處新石器，便可以把中國史前文化拉長幾千年，一個法國教士桑德華（Pere Licent）發見了一些舊石器，便又可以把中國史前文化拉長幾千年。北京地質調查所的學者在北京附近的周口店發見了一個人齒，經了一個解剖學專家步達生（Davidson Black）的考定，認為遠古的原人，這又可以把中國史前文化

57 《〈敦煌掇瑣敘目〉敘》，《北京大學研究所國學門周刊》第3期，1925年10月28日。

58 桑原騭藏著、陳彬和譯：《讀陳垣氏之〈西域人華化考〉》，《北京大學國學門研究所周刊》第6期，1925年11月18日。

拉長幾萬年。向來學者認為紙上的學問，如今都要跳在故紙堆外去研究了。」[59]

這時胡適受到一些同道對其鼓吹整理國故的批評，對中國固有學術的否定多少有自我辨解的意味，而所說歐洲學術對國學研究的衝擊，則大體不錯。與歐美日本的考古學、語言學、比較宗教學等方面的研究發達的情形相對應，國學研究取得長足進步的領域，幾乎都與這些學科相關聯。

1923年胡樸安在總結國學發展趨勢時指出：

「頃歲以來，隱憂之士，鑒於國學之衰落，以為國學將絕也，而不知國學已動復興之機。一種學術，必有他種學術與之接觸，始能發生新學術之徑途。因歐洲哲學之影響，研究諸子學者日多；因歐洲言語學之影響，研究六書學者日多；因歐洲美術學者之影響，研究群經古史學者日多。不過草莽初群，而口徑未分，孚甲已萌，而燦爛未現。苟努力不已，則民國之學術，必能邁前世而上之。」[60]

被陳寅恪稱為中國近代學術界最重要之產物的王國維的治學領域與方法，地下實物與紙上遺文互相釋證，異族故書與吾國舊籍互相補正，外來觀念與固有材料互相參證，即體現了中西學融合匯通的時趨。

59 《治學的方法與材料》，《胡適文存》第3集，第211-217頁。

60 《民國十二年國學之趨勢》，上海《民國日報》1923年10月10日《國學周刊》國慶日增刊。

三　國際漢學的影子

國學研究所受西學的影響，還體現於宣導研究者的教育背景。許多著名的國學大家，都有過留學經歷或學習、傳播過西學。梁啟超在近代輸入西學方面（包括從日本轉手引進），範圍之廣，影響之大，無人企及。羅振玉則與歐洲、日本的一流漢學家保持廣泛而密切的聯繫。國粹派領袖骨幹如章太炎、鄧實、劉師培等人也曾是傳播西學的健將。[61]最具象徵意義的是國學保存會的支柱鄧實與黃節，一面借《政藝通報》系統輸入西學，一面以《國粹學報》提倡國學。為了吸收域外之學以治中國固有之學，他們或自己努力學習外文，或鼓勵子弟學習外語，其中一些人能夠基本掌握運用幾門外文，如梁啟超學過英、日、法文，章太炎學過日文、梵文，程度雖然不能與留學出身者相比，對於思想鼓動卻有極大幫助。至於國內外新式學堂畢業者，多會一門以上的外文，有的還精通多種外語。

1920年代以後，國學研究者繼續保持趨新態勢。北大國學門委員會成員大都有留學日本或歐美的經歷，風俗調查會由張競生發起並任主席，方言會由林玉堂任主席，《國學季刊》編委會由胡適任主任。而沒有洋學位者則感到很大的壓力。據說劉復留歐即為胡適激將。清華研究院的導師和講師中，四位有留學經歷，梁啟超則長期生活於國外。至少該校學生看來，王、梁是國學名宿，而趙、陳、李則是「西學精通之士」[62]。陳寅恪在該院所講全是歐洲漢學的正宗，後因幾乎無人能懂，不得不改成較易理解的課程。廈門大學國學院成員基本來自北大，繼任主任張星烺也曾留學美、德。齊魯大學國學研究所中，

61 詳見鄭師渠：《晚清國粹派》第3章。

62 《研究院現狀》，《清華周刊》第408期。

周幹庭、胡立初、李雲林留學日本，餘浩、慈丙如、張錫嘏、胡道遠畢業於美國，舒舍予曾任教於英國。[63]燕京大學國學所中，許地山留學英美，謝婉瑩留學美國，後又加入張星烺，劉廷芳、黃子通、馬鑒等也畢業於異域。即使未曾留學者，也大都是國內新式學堂畢業，學術上積極求新。如北大的顧頡剛、容庚、容肇祖、魏建功、常惠、董作賓等。

與此相對，一些當時人認為守舊的學者，則未予其事或被排斥在外。北京大學的桐城派已完全失勢，黃節、陳漢章、葉瀚等只是偶而參加各學會的活動，有時還故意唱些反調。在國學門第四次懇親會上，即將赴歐的胡適宣稱鑽故紙堆治國學是條死路，而生路為一切科學。葉瀚即說：「行年將六十有五歲，從事考古，時已不及。適之先生希望猶大；我但願在死路上多做點收集工夫，而讓後人好開生路，將材料供給參考。因現在死路上材料供給過少，所以在北大授課，講義毫無精彩」[64]。

北大的以新劃線引起外界人士的不滿，指「北大黨派意見太深，秉事諸人氣量狹小，其文科中絕對不許有異己者。而其所持之新文化主義，不外白話文及男女同校而已。當其主義初創時，如屠敬山等史學專家皆以不贊同白話文而被擯外間，有知其內容者皆深不以其事為然。」[65]廈門大學也有類似情形。當時任教於該校的陳衍，是著名的國學大家，並主辦《國學專刊》，先後入社者達50餘人，卻未參與國學院的籌組和學術活動，並在國學院正式成立前辭職返里，其高足葉

63 《新職員之介紹》，《齊大月刊》第1卷第1期，1930年10月10日；陶飛亞、吳梓明著：《基督教大學與國學研究》所引齊大檔案1934年報告書，福州，福建教育出版社1998年版，第202-204頁。

64 《北京大學研究所國學門月刊》第1卷第1號。

65 1926年4月25日張星烺來函，陳智超編注：《陳垣來往書信集》，第209頁。

長青此時反被金陵大學聘走，可見校方並未考慮在即將興辦的國學院使用這批學者。

近代國學研究陣營中，還有一批歐美和日本漢學家的活動及作用引人注目。北大國學門研究規則規定：可隨時聘請國內外學者為專門演講；研究生有必要時，可聘請國內外專門學者指導研究；並可聘請外籍學者為導師和通信員。該所曾先後聘請俄國的鋼和泰（A.von Stael-Holstein）、伊鳳閣（A.I.Ivanov）為導師，法國的伯希和、腦爾特（There´se P.Arnould），日本的今西龍、澤村專太郎、田邊尚雄，丹麥的吳克德（K.Wulff）、德國的衛禮賢（Richard Wilhelm）等為通信員。齊魯大學國學所聘請加拿大學者明義士（James Mellon Menzies）教授甲骨文和商代文化。廈門大學國學院有瑞士籍學者戴密微（Paul Demieville）參與其事，任籌備總委員會委員。[66]清華研究院聘請鋼和泰為名譽通信指導員。他們或以學術專長引進國際最新研究成果，推動東方學的發展，增加國際社會對東方文化的興趣與關注，或利用社會聯繫和學術地位促進中國學術界與世界同行的交往。其中伯希和於敦煌學，鋼和泰、戴密微於言語學、佛學，伊鳳閣於西夏學，田邊尚雄於中國樂律，均給中國學術界很大影響和幫助。

西方漢學研究很大程度上受來華傳教士的興趣與活動的影響，而這種興趣與活動一直持續，不少人長期在中國研究古代文獻典籍，調查地方方言和習俗。第一次世界大戰後，西方中心和基督教文明優越的觀念遭受重創，對東方文明的興趣與愛好增強。而中國本土在教育領域掀起了非基督教運動，教會與非教會大學的歐化教育受到猛烈衝擊，清華學校學生因此感到很大的社會壓力。該校增設國學研究院，目的之一，就是為了改變形象，此舉收效明顯。教會學校本來也重視

66 《廈大周刊》第132期，1925年12月19日。

中國傳統文化的教育，只是方式過於老套。面對形勢，由燕京大學校長司徒雷登（John Leighton Stuart）發起中國化改革，加強國學研究，利用霍爾基金在燕大和齊魯大學建立國學研究所。廈門大學創辦國學院，則由於陳嘉庚、林文慶等華僑對中國文化的依戀。林受聘時詢問本校宗旨，「究竟注重國學抑或專重西學」。陳答稱兩者不可偏廢，「而尤以整頓國學為最重要」。[67]

這一時期的國學研究機構與個人，十分注重瞭解歐美、日本等國關於中國研究的學術動態，積極加強與國際學術同行及組織的聯繫交往。北大國學門通過通信員伯希和向亞洲學會介紹本所情況，交換刊物，並委託其代表國學門出席在開羅召開的萬國地理學會。這次會議被視為學術中心由歐洲向全世界擴展的起點[68]。該學門還希望瞭解蘇俄學術界的情況，請赴蘇俄考察或開會的李四光、陳惺農演講蘇俄東方學術情形，得知「俄國學術上的特色許多不與西歐相同，在人類學和考古學的方面，他們的材料實在不少，我們很有可以合作的地方」，於是著手聯繫[69]。此外，該學門曾與日方協商在北京用庚子賠款聯合組建文科研究所，派馬衡等赴朝鮮參觀漢樂浪郡漢墓發掘，與歐美專家幾次組織聯合考查團。清華研究院籌備之際即準備與由衛禮賢主持的德國「中國學社」建立合作關係[70]，王國維、陳寅恪等導師與歐美漢學名家如伯希和等時有交往，講師李濟則與美國的畢士博（Carl Whiting Bishop）合做到山西等地考古，後者預訂有七、八年

67 《國學研究院成立大會紀盛》，《廈大周刊》第159期，1926年10月16日。

68 伯希和：《在開羅萬國地理學會演說》，《北京大學研究所國學門周刊》第3期，1925年10月28日。

69 《本學門同人歡迎李陳二教授茶會紀事》，《北京大學研究所國學門周刊》第12期，1925年12月30日；《李仲揆教授在本學門茶話會演說》，《北京大學研究所國學門周刊》第2卷第13期，1926年1月6日。

70 張國剛：《德國的漢學研究》，第43頁。

的長期計劃。

1930年代後，隨著北大、清華、廈大、燕京等校的有關教育科研機構相繼改名或解體，國學研究漸趨消沉，南方的幾個國學會在章太炎等老輩去世後失去重心，也陸續停止活動。只有齊魯大學國學研究所、無錫國學專科學校等少數機構長期堅持。抗日戰爭期間，日偽曾在北平組織過國學書院，發行《國學叢刊》，表面鼓吹「挽救而振起」國學，實際目的在於粉飾太平[71]。但盛極一時的國學研究在中國近代學術發展史上已留下深刻印記。儘管該名詞從字面上很難把握概念的外延內涵，曹聚仁、何炳松、鄭振鐸等人曾公開質疑，傅斯年在籌建中研院歷史語言研究所時，特意聲明：該所之設置，「非取抱殘守缺，發揮其所謂國學，實願以手足之力，取得日新月異之材料，借自然科學付與之工具而從事之，以期新知識之獲得。材料不限國別，方術不擇地域；既以追前賢成學之盛，亦以分異國造詣之隆。」[72]實際上，近代國學研究既非抱殘守缺的舊學，亦非畛域自囿的中學。以傅斯年之語形容近代國學研究的宗旨實效，就主流而言並不過分。國學研究，就是一方面使傳統學術向新時代生長，一方面讓近代西學紮根於神洲沃土。

經過近代國學研究，中國學術的形式與內容出現重大而明顯的變化。形式上，以經學為主導的傳統學術格局最終解體，受此制約的各學科分支按照現代西學分類相繼獨立，並建立了一些新的分支。傳統學術的變格自清代已經開始，乾嘉漢學首重音韻訓詁考據，語言文字乃至金石之學專門化程度日高。中國史學本來極為發達，晚清以降，列強威逼，邊疆危機加劇，西北邊疆史地之學因而興盛，帶動整個史

---

71 參見《國學叢刊》第1-15冊，1941年3月至1945年5月。

72 王汎森、杜正勝：《傅斯年文物資料選輯》，傅斯年先生百齡紀念籌備會1995年印行，第62-63頁。

學自宋代巔峰以來再向新的高度邁進，並與歐洲關注東方特別是中亞的趨向暗合。但清代學術不能從根本上打破經學壟斷的局面，各種專門之學只是解經的工具。所謂「本朝學術，實以經學為最盛，而其餘諸學，皆由經學而出。……是故經學者，本朝一代學術之宗主，而訓詁、聲音、金石、校勘、子史、地理、天文、算學，皆經學之支流餘裔也。」[73]

這種瓶頸狀態在國學運動中終於被突破。清末國粹學派提倡諸子學，打破獨尊儒術的偏見；民初破今古文之分，跳出家法，研究學術；到了1920年代，經學最終被完全化解，整個學術按照現代西學規範重新分類，語言學、文字學、音韻學、方言學、考古學（含博物學）、社會學、人類學（含民俗學）、歷史學（含歷史地理）、宗教學、哲學等一整套體系逐漸形成。一些國學研究者在其中起了舉足輕重的作用。清華研究院諸導師，梁啟超是各種新學術的宣導人，王國維是近代人文新學術的代表，趙元任、李濟分別是中國現代語言學和考古學之父。北大國學門的方言、考古、歌謠、風俗等學會，均有開一代新風的作用。

內容上，在歐美日本漢學發展趨勢的影響下，近代國學研究造成學術風格與重心的三方面轉變，其一，發現資料由專注於文獻轉向趨重實物和實地發掘調查。各國學研究機構都極其重視考古、方言、民俗學。在收集和研究實物方面，雖然古代已有金石之學，但近代西學特別重視實物所在的環境因素，使得對於實物的研究更加科學化，並得以解釋有關的社會歷史和文化。因而國學研究機構對於實物的採集，也由收購進而調查再進而發掘。其二，由專注於上層精英正統下移到民間地方社會。19世紀中葉以來，歐洲文化研究興起，與傳統的

73 鄧實：《國學通論》，《國粹學報》第1年第3期，1905年4月。

人文學科相比，研究的層面和時段逐漸下移。受此影響，國學研究者改變傳統的大小觀念，積極開展歌謠、風俗、方言的調查。廈門大學、齊魯大學的國學院所，根據自身條件和學術需要，分別展開對閩南、山東地方民間社會的研究。其三，各學科的互動與整合實際上已經開始。就每個研究者而言，要求系統地掌握傳統學術與現代西學的多種工具及相關學科的知識方法；就學科而言，要求多學科的專家合作研究有關課題。前者以陳寅恪為代表，後者以考古、民俗學為代表。

無庸諱言，國學陣營中也有抱殘守缺與捨己從人、或「國粹」與「國渣」兩派。同時，時代的變化，年齡的增長，也會使一些人趨於穩健甚至保守。晚清國粹派的有些人，到了民國時期確有拉車向後之嫌。他們對於王國維的文字及古史研究和陳寅恪國文考試對對子亦予以抨擊嘲諷。然而，學術雖然不止一途，但又有一定的規範與公道。在近代西學影響下發生，又建立起廣泛的對外聯繫和開闊的國際眼界，近代國學研究的成敗得失也要相應納入世界範圍來權衡。由此看來，兩派爭論雖多，學術上均無大建樹。即便提倡科學方法和疑古，思想鼓動作用遠遠大於學問的進步。對此胡適自己也承認是「提倡有心，實行無力」[74]。原因之一，當在提倡者對自己所倡行的西學不甚了然。劉復留歐，目標從文學與語言學兼治退到語言學，再退到語音學，最後龜縮於實驗語音學，就是明證。

而在學術上真有大貢獻並得到國內外一流學者承認的，只是少數主張學不分中西新舊的大師。1933年4月15日，被胡適奉為「西洋治中國學泰斗，成績最大，影響最廣」的伯希和離開北京時，對前來送行的陳垣、胡適等人說：「中國近代之世界學者，惟王國維及陳先生

74 《胡適日記》（手稿本）1930年12月6日。

兩人。」[75]此話在負有大名的胡適當面聽來該是別有一番滋味在心頭。其實，伯氏決非有意貶低中國學者，相反，早在1926年，他就將「與中國學者的接近」，視為治中國學必須具備的三方面預備之一。[76]各方面的評價相加，可謂國際漢學大師對中國國學研究成就與局限的完整考評。此後，儘管胡適下大功夫於《水經注》公案，但代表國學研究後續並躍而上之的，是將乾嘉信而有徵式考據推進到以實證虛的「同情式考據」（羅志田教授語）的陳寅恪，由此在王國維跨越中西新舊學之上，進一步溝通人本與科學主義，使得中國文史研究不僅在國際漢學界佔有一席之地，而且在整個世界人文科學中躍居高峰。對其意義的完整認識，將是下一世紀的重要命題。

國學一詞畢竟是對轉型中學術籠統模糊的概括，確有成就的學者很少抽象地討論這一概念，甚至反對教授《國學概論》之類的課程（如陳垣）。隨著轉型過程的完成，國學按現代學科分支被分解，失去了與西學、新學的籠統對應。周予同在論經學與經學史的關係時說：「五四運動以後，經學退出了歷史舞臺，但經學史的研究卻急待開展。」[77]藉以說明國學與國學研究史的關係，不無妥貼之處。

---

75 1933年4月27日尹炎武來函，陳智超編注：《陳垣來往書信集》，第96頁。

76 《胡適日記》（手稿本）1926年10月26日。

77 《中國經學史的研究任務》，朱維錚編：《周予同經學史論著選集》，上海人民出版社1983年版，第660頁。

第二章
近代中國學術的地緣與流派

讀1933年12月陳寅恪閱岑仲勉論著後復陳垣函，中有「此君想是粵人，中國將來恐只有南學，江淮已無足言，更不論黃河流域矣」[1]一節，百思不得其解。以為僅僅推崇陳垣，則不免以偏概全之嫌，似與近代學術本相不合，終不能釋然。陳寅恪賦詩說話作文，往往九曲迴腸，周折複雜，且好仿比興法，將「為時而著」，「為事而發」[2]的本意隱於其中。若照字面直釋，容易誤會曲解。如審查馮友蘭《中國哲學史》報告，通行解釋與作者原意相去甚遠。非以彼之道還諸彼身，即解今典以通語境的瞭解同情，不能達「雖不中亦不遠」的境地。偶讀楊樹達《積微翁回憶錄》關於北京學術界內情的記述，忽有所悟，知此議論實與近代中國學術的地域流派變遷關係甚大，繼而證以中外學人的記載和其它相關資料，彼此貫通，於是事實之本相顯現，而作者之寓意可通。

一　粵人與南學

陳寅恪評語中關鍵概念有四，即粵人、南學、江淮與黃河流域。

1　陳智超編注：《陳垣來往書信集》，第377頁。

2　《與元九書》，顧學頡校注：《白居易集》第3冊，北京，中華書局1988年版，第962頁。王國維、陳垣、陳寅恪均有不議論臧否人物之譽，實則王在羅振玉面前無人不加褒貶，陳垣亦偶有一二影射之語。近代學者，罕用西式的公開學術批評，評論人物的學行，往往在二三知己之間，且多隱喻。

中外學者多已指出，隨著社會經濟發展的階段性區域變化，中國的文化學術重心，有自北而南轉移的趨勢。日本京都學派主帥之一的內藤虎次郎所謂文化中心流動說，認為明以後文化中心在江浙一帶，海通以還，將移到廣東。[3]此說表面似與陳寅恪語相印證，尤其在思想方面，但就學術而言，個中大有曲折。

清代學術，朝廷雖堅持理學正宗，學者則獨重樸學，且奉考據為正統，其餘皆附庸。但以地域論，樸學重心在於江淮，其它各省，或仍宗理學心學，如江西、河南，「能為漢學者少」[4]，或文風不盛，難以言學術。所以梁啟超有「一代學術幾為江浙皖三省所獨佔」[5]的評語。據注重清學的吉川幸次郎估計，依出生地而言，清朝學者十之八九產於蘇、浙、皖三省，其它各省如直隸、山東、湖南、福建、廣東、貴州等合計，比例也極低。[6]阮元督粵，創學海堂，引樸學入粵，主張折中統一漢宋，對廣東文化發展，影響極大。道咸以降，粵學驟盛。清末民初，廣東藏書蔚然成風，即其流風餘韻。今人蘇精編《近代藏書三十家》(《傳記文學》叢刊之72，臺北傳記文學出版社1983年版)，所錄江蘇11人，浙江8人，福建2人（其中鄭振鐸生於浙江），湖北、湖南、江西、四川、安徽各1人，而廣東有4人，位居第3。不過，就學術貢獻而言，學海堂的成就尚不足觀。梁啟超雖然說清中葉後「江浙衰而粵轉盛」，但粵人治學足以「名家者無一焉」。[7]

3 內藤虎次郎：《新支那論》，東京，博文堂1924年版，第61頁。

4 顧廷龍校閱：《藝風堂友朋書劄》上，上海古籍出版社1980年版，第361頁。

5 《近代學風之地理的分佈》，《飲冰室專集》第9冊，臺北，中華書局1972年版，第3頁。

6 《清代三省の學術》，《吉川幸次郎全集》第16卷，東京，築摩書房1974年版，第3頁。

7 梁啟超：《論中國學術思想變遷之大勢》，《飲冰室文集》上，上海，廣智書局1908年版，學術，第79頁。此時梁啟超對陳澧評價甚低，後有所變化。

如「東塾弟子遍粵中，各得其一體，無甚傑出者。」[8]民初修《清史》，廣泛徵求各省入儒林、文苑人選，廣東人承認「敝省著述自遠不及大江南北」，所舉「鄉評極確，列入儒林而無愧」的「篤行樸學之士」，不過5人，另附算學1人，加上附傳及入文宛者，總共提出8人，其中宋學家3人，兼採漢宋家1人，算學鄒伯奇還在可收可不收之列。[9]

《清史稿》的編撰，取捨不當，疏失較多。就實際情形言，晚清嶺南影響較大的學者有二，一為陳澧，一為朱次琦，均主漢宋不分或漢宋兼採。兩人門下，各分兩支，「東塾弟子分為二派，一派是陳慶笙、梁節庵輩，一派是廖澤群、陶春海輩，廖、陶頗不以陳、梁為然。」[10]但論影響勢力，陳、梁無疑大於廖、陶。尤其是梁鼎芬，為張之洞「最深倚重」，與李文田、沈曾植等「皆同時講學契友」，[11]相繼被聘為惠州豐湖、肇慶端溪、廣州廣雅、武漢兩湖、南京鍾山等書院山長，在湖北時還贊襄學務，幾乎等於其幕府中溝通士林的總管。光緒朝後期張之洞權傾一時，歷任兩廣、湖廣、兩江等要地總督，併入值軍機，又好結交名士，幕下網羅各種人才，頗有阮元再世之象。張之洞私淑陳東塾，[12]他的鼓吹加上樑鼎芬的作用，可謂張大學海堂影響的重要後天因素。東塾弟子不僅遍及粵中，其學風還遠被京師。直到1920年代，在華設專門研究室調查中國社會情況的日本學者今關壽麿，於所撰關於學術界狀況的書中，認為北方舊學勢力最大的還是

8　梁啟超：《近代學風之地理的分佈》，《飲冰室專集》第9冊，第33頁。

9　譚宗濬來函三，顧廷龍校閱：《藝風堂友朋書劄》上，第73-74頁。

10　汪宗衍來函，陳智超編注：《陳垣來往書信集》，第460頁。陳慶笙，名樹鏞，曾從學於朱次琦。

11　《清人陳毅氏より那珂通世氏にあてたる書狀》，《史學雜誌》第11編第8號，1900年8月。

12　《郎園學行記》，《斯文》第9編第10號，1927年10月。張之洞曾因葉德輝詆毀陳澧而與之相持不合。

張之洞餘風的陳澧一派。[13]

至於朱九江一脈，雖然沒有官威作後臺的顯赫，對於中國近代思想學術界的影響卻比東塾門下有過之無不及。其弟子有名於時者，一是康有為，作為維新派的精神領袖和政治統帥，是一個歷史時期中國思想界的標誌。不過，康在學術上走了經今文學的路子，淵源不來自乃師。而今文學在近代思想界的貢獻或影響雖然極大，學術上的疑古辨偽，卻是語多妖妄怪誕，得不到公認。民初馬良、章炳麟、梁啟超等仿法蘭西研究院發起函夏考文苑，議論人選名單時，「說近妖妄者不列，故簡去夏穗卿、廖季平、康長素，於壬秋亦不取其經說。」[14]一貫尊師重教的梁啟超也公然放棄師說。

其二為簡朝亮，他雖恪守師訓，卻頗得真傳，「艱苦篤實，卓然人師，注《論語》、《尚書》，折衷漢宋精粹」[15]。1933年他與柯劭忞相繼辭世，學界有「一月之間，頓失南北兩大儒」[16]之說。尤其是再傳弟子鄧實、黃節，後來在上海主辦《政藝通報》和《國粹學報》，與江浙學人結合，一面輸入西學，一面復興古學，對中國近代思想與學術均有重大影響。鄧實晚年頗頹廢，黃節則長期任教於北京大學國文系。其一生學問志業，由簡啟發，「學簡齋（袁枚）為當今第一手」，「而詩歌、書法皆冠絕時流」[17]。

陳、朱二門，均以嶺南為根據，另外京畿也有粵人以學術名於時者。道咸以後，邊疆史地之學興盛，及至同光，擅長此學者有順德李

---

13 今關壽麿：《近代支那の學藝》，東京，民友社1931年版，第24頁。

14 方豪：《馬相伯先生籌設函夏考文苑始末》，《方豪六十自定稿》，臺北，學生書局1969年版，第2002頁。

15 梁啟超：《近代學風之地理的分佈》，《飲冰室專集》第9冊，第33頁。

16 《悼柯劭忞簡朝亮先生》，《燕京學報》第14期，1933年12月。

17 尹炎武來函之39，陳智超編注：《陳垣來往書信集》，第105頁；吳宓：《黃節先生學述》，天津《大公報》1935年1月27-29日。

文田等。李歷任蘇浙川等省主考，做過順天學政，官至禮部右侍郎，「直南齋最久」，弟子門生眾多。光緒初元，他與號稱京師士林「龍門」的工部尚書軍機潘祖蔭和士林之「廚」國子監祭酒盛昱以及文廷式等人最為莫逆，[18]「學問淵博，自經史、詞章、天文、輿地、兵法及宋儒義理之學，以至占、筮、醫、相、青烏之術，金石、碑帖、書籍、版本之源流，皆得其要。」[19]「精於碑版之學，覃研乙部，而於遼金元史尤洽孰，典章輿地，考索精詳」，且「耄而好學，獎掖後進」[20]，在京師學界舉足輕重。清末番禺人沈宗畸等在北京辦《國萃彙編》，成就雖不高，也形成一活躍小團體。

入於民國，廣東人赴京求學者為數不少，北京大學的廣東同學會，頗具聲色。「綜海內二十二省，合文理法工四分科，共五百餘人，而廣東居全國六分之一，凡八十有六人」，不僅一時敢「稱全國最」，而且被認為「自有大學以來，從四方至，執業肄習其間者，惟廣東人最多，亦最勤學。」[21]同時一批有志於學術者仰慕北京人文重心，北上問學，加上在政界、財界頗具影響的葉恭綽以及好詩詞鑒賞的粵籍世家譚祖任（譚瑩之孫）等人的支持和參與，1920至1930年代，相繼聚集京師的廣東學人形成氣候，不僅理工醫法商等西式學科人材輩出，中國文史之學亦不乏名家，如新學梁啟超，史學陳垣、張蔭麟、陳受頤，詩學黃節，古文字學容庚、商承祚，版本目錄學倫

18 《意園懷舊錄——內藤虎次郎氏盛伯義祭酒盛伯義遺事譯文》，《吉川幸次郎全集》第16卷，第623-630頁。文廷式與陳寅恪家同籍兼世交。

19 冼玉清：《廣東之鑒藏家》，廣東省文史館、佛山大學佛山文史研究室編：《冼玉清文集》，廣州，中山大學出版社1995年版，第20-21頁。

20 葉昌熾：《藏書紀事詩》卷七，《中國目錄學名著》第1集第6冊，臺北，世界書局1965年版。

21 《北京大學分科廣東同學會序》、《北京大學分科廣東同學錄序》，陳德溥編：《陳黻宸集》上冊，北京，中華書局1995年版，第649、650頁。

明，思想史容肇祖、以及嶄露頭角的後進羅香林等，以致內部再又分別。1933年陳垣致函容肇祖，贊以「粵中後起之秀，以東莞為盛」，容覆函則說：「新會之學，白沙之於理學，任公之於新學，先生之於樸學，皆足領袖群倫，為時宗仰者。然白沙之學近拘，任公之學近淺，未若先生樸學沉實精密之不可移易也。」[22]他們在北京時與陳寅恪多有交往，所以陳推測岑仲勉為粵人，便視為南學將興的又一例證。儘管他真正引為同調的還是陳垣。

清代南學，本有二義，一為國子監在學肄業者之機構，[23]一為地域上的南方之學術。江淮既是全國學術之淵藪，又是南學之代表。所謂「南通北不通」，大抵是江淮人士學術自負的表現。嶺南學術，淵源於江淮，後因其人來粵為官任教經商，寄籍者眾，與之關係亦多。雖然有人說「陳東塾學出儀真而精純過之」[24]，江淮學術正宗的看法未必盡然。唐文治受業於黃以周門下，請教漢宋兼採之儒當以何者為最，黃答道：「王白田先生是已。」[25]據說陳澧「門下有名者最多」，如梁鼎芬輩，號稱「學問品行，博通正大」，[26]以正學自任，但章炳麟

22 陳智超編注：《陳垣來往書信集》，第270-271頁。

23 清國子監南學建於雍正九年（1731），本為由內班分出學額，後只有南學長川住學，因而稱在學肄業者為南學，在外肄業、赴學考試者為北學（王德昭：《清代科舉制度研究》，香港，中文大學出版社1982年版，第96頁）。

24 陳智超編注：《陳垣來往書信集》，第130-131頁。

25 唐文治：《朱止泉王白田先生學派論》，《國專月刊》第2卷第5期，1936年1月。晚清學術，雖然風行調和漢宋，但亦有非議者。王闓運指陳澧為漢奸，廖平則謂為「奴隸之奴隸」，「蓋略看數書以資談助，調和漢宋以取俗譽，又多藏漢碑數十種以飾博雅，京師之爛派，大抵如此。」（錢基博：《現代中國文學史》，上海，世界書局1935年版，第55頁）鄧實對黃以周、陳澧均予否定：「晚近定海黃式三、番禺陳澧皆調和漢宋者，然摭合細微比類附會，其學至無足觀。夫古人之學，各有所至，豈能強同。今必欲比而同之，則失古人之真。故爭漢宋者非，而調和漢宋者亦非也。」（鄧實：《國學今論》，《國粹學報》第1年第4期，1905年5月23日）

26 《清人陳毅氏より那珂通世氏にあてたる書狀》，《史學雜誌》第11編第8號。

還是目為鄉愿。[27]章氏指責「澧既善傅會，諸顯貴務名者多張之；弟子稍尚記頌，以言談剿說取人」[28]。劉師培則說：「澧學溝通漢宋，以為漢儒不廢義理，宋儒兼精考證，惟掇引類似之言曲加附合；究其意旨，仍與摭拾之學相同，然抉擇至精，便於學童」[29]。「惟（陳澧）學術既近於模棱，故從其學者，大抵以執中為媚世；自清廷賜澧京卿銜，而其學益日顯」[30]。將東塾學派的祖師門生一概罵倒。

戊戌前康有為的今文經學大行其道，浙人呼籲「昌浙學之宗派，絕粵黨之流行」[31]，視康有為之說為「南海偽學」。入於民國，江淮仍為學術重心所在。日本東方文化事業總會的橋川時雄所編《中國文化界人物總鑒》，收錄民元至1940年間在世、從事文化教育、學術研究和文學藝術有名於時的人物共4600人，其中從事中國研究者多半仍產於江淮。[32]1948年首屆中研院院士中，浙江19人，江蘇15人，廣東8人，江西、湖北各7人，福建、湖南各6人，山東、河南、四川各3人，河北2人，安徽、陝西各1人，其餘各省缺。[33]陳寅恪將江淮排除於南學之外，與通行所指不同。

不過，陳所謂南學，當不限指嶺南，至少還應包括湖南。他與楊

---

27 參見湯志鈞：《章太炎在臺灣》，《社會科學戰線》1982年第4期。章氏所說，雖含政見異同，亦由學術立論。

28 《訄書・清儒》，朱維錚編：《章太炎全集》第3卷，上海人民出版社1984年版，第159頁。

29 劉師培：《南北學派不同論》，《國粹學報》第6期，1905年7月。

30 《清儒得失論》，《民報》第14號，1907年6月。以上三注，參見朱維錚：《漢宋調和論》，《求索真文明——晚清學術史論》，上海古籍出版社1997年版，第55-56頁。

31 陳漢第來函第7，上海圖書館編：《汪康年師友書劄》二，上海古籍出版社1986年版，第2045頁。

32 長春滿洲行政學會株式會社1940年出版。傅增湘所寫序言稱：「統吾國二十八省之地域，五六十年來之人物，綜萃品倫，登諸簿錄，試披覽而尋繹之，而近世人材之消長，風氣之變遷，學術之源流，政教之演進，一展卷而得其大凡。」

33 楊樹達：《積微翁回憶錄》，上海古籍出版社1986年版，第278頁。

樹達交誼甚深，譽為文字訓詁之學當世第一人。時人稱中國學人只有馮友蘭之哲學，陳垣之史學，楊樹達之訓詁學，足以抗衡日本。另有余嘉錫，考據目錄之學極精博，與楊樹達同為在京湘人治樸學者。梁啟超稱湘粵兩省均為清初學者極少，中葉以後乃學風大盛。[34]本來清代湘士大抵治宋學，「乾嘉之際，漢學之盛如日中天，湘士無聞焉。」[35]後又為今文學流風所被，所以多文人而少學者。但同光以後，湖南的二王一葉馳譽海內外，尤其是葉德輝精於版本目錄，連胡適也說他雖然沒有條理系統，畢竟為屈指可數的舊式學者之一。[36]陳家三代與湖南關係匪淺，而且楊樹達對北京教育界的看法，很可能是陳寅恪立論的重要依據。

二　太炎門生

所謂「江淮已無足言」，其實主要指當時浙江籍人士把持北京教育界和學術界，佔據要津而貢獻水準不稱其職。

民初中央政府教育部人員多產自江浙，親歷其事的王雲五解釋道：「由於江浙為文化最發達之區，教育界的傑出人物，往往不能舍

34 《近代學風之地理的分佈》，《飲冰室專集》第9冊，第3頁。

35 楊樹達：《積微翁回憶錄》，第57、220頁。吳士鑒說：「咸同以後，湘中頗習漢學」（顧廷龍校閱：《藝風堂友朋書劄》上，第453頁），但魏源等人的影響主要在今文經學方面。王闓運號為東洋三碩學之一（另二人為朝鮮金允植，日本竹添進一郎），經學也偏於今文家言。錢基博《中國現代文學史》稱：「五十年來學風之變，其機發自湘之王闓運，由湘而蜀（廖平），由蜀而粵（康、梁）而皖（胡、陳），以會合於蜀（吳虞），其所由來者漸矣，非一朝一夕之故也。」所以葉德輝說湖南「一省人物尚不如輝一家」（顧廷龍校閱：《藝風堂友朋書劄》上，第558頁）。葉祖籍江蘇吳縣，好自稱吳人。

36 中國社會科學院近代史研究所中華民國史研究室編：《胡適的日記》，中華書局香港分局1985年版，第440頁。王闓運、王先謙的學問，各有偏蔽。

江浙二省而他求。因此，教育部此時的高級職員中，包括次長和四位參事中的三位與三位司長中的兩位，都是籍隸江浙兩省。」[37]但情況之嚴重，甚至可以由參事司長集體辭職迫走兼署的粵籍總長陳振先，改換浙籍的汪大燮，則至少不能說是正常。而且就學術而言，江浙為人文淵藪的概念，在北京已經演變為浙江人一統天下，國立各校多由浙人控制。本來兩浙皆揚州舊屬，浙東浙西設立之初，「其範圍殆北盡長江之濱，南極甌閩之地，實包括今江蘇、安徽之南部。若以現今行政區域之浙江省而言，此時尚無與江南文化之列也。」宋代兩浙學術大盛，但主流皆非發源於浙境，其重要尚在福建之次。章學誠指清代兩浙學術分別由顧炎武、黃宗羲開山，而兩人學術上之影響，與其所受之影響，皆不在浙江一隅。

及至晚清，浙江有俞樾、黃以周、孫詒讓，或溝通吳皖，或兼採漢宋，號稱三大師，俞、黃分別主持久負盛名的詁經精舍和南菁書院，孫則為清代小學的殿軍，影響泛及江南乃至京師。因此賀昌群特意指出：「言兩浙人文，似當統括於江南之自然區域，而後可以得其錯綜複雜之故。若以行政區域劃分，為方便計固可，為考鏡學術之源流，竊以為非深刻之論也。」[38]後章炳麟「應用正統派之研究法，而廓大其內容，延闢其新徑」，「為正統派大張其軍」[39]，又講學於日本、京師，培育眾多弟子門生，使浙學地位上升。至民國，在浙人佔據中央教育行政要津的背景下，章氏門生趁勢奪取京師學術陣地。

---

37 王雲五：《蔡子民先生與我》，陳平原、鄭勇編：《追憶蔡元培》，北京，中國廣播電視出版社1997年版，第61-62頁。

38 賀昌群：《江南文化與兩浙人文》，《國風》第8卷第9、10期合刊，1936年10月。是年初賀昌群在北京曾與浦江清、錢穆、王庸等人交往，當知前此浙人把持之事。

39 梁啟超：《清代學術概論》，北京，東方出版社1996年版，第86頁。胡適說原稿無章炳麟一節，係據其意見增加（中國社會科學院近代史研究所中華民國史研究室編：《胡適的日記》，第36頁）。

「從前大學講壇，為桐城派古文家所佔領者，迄入民國，章太炎學派代之以興。」[40]兩浙取代江淮，表明浙人可以自認為居於主導江南文化的中心地位。

東京國學講習會聽講的留學生中，本以川、浙兩省人居多，而後來繼承章氏衣缽者，卻主要是浙人。蔡元培長校北大，奉行思想自由，相容並包的方針，提倡學術研究，對中國的大學教育和學術發展影響巨大。但在人事上，受主客觀的制約，不免偏重浙人，尤其是中國文史研究方面，「北大國文系仍不免有被浙江同鄉會、章氏同學會包辦的嫌疑」。1920年代，北大中國文學系、史學系主任分別由馬裕藻（幼漁）、朱希祖（逿先）擔任，沈尹默一度出任文科學長，國學門主任則是沈兼士，國學門委員會除當然委員外，只有胡適一人非浙籍。北京大學季刊國學組雖由胡適主任，12位編輯員中卻有8位是浙籍。牟潤孫從旁觀者清的角度分析：「形成這種狀態，自有種種因素，不能說孑民先生存有什麼偏私之心。不過必須指出，不論資格，不審查著作，辦學的人不瞭解被請人的學術，濫竽充數的流弊，就容易產生。北大當年國文、歷史兩系有幾位教授，不能算上等人選，其故即在於此。」[41]

關於此事，1925年「閒話」專家陳源與魯迅打過一場筆墨官司，後者拒不接受「某籍某系」的指控。其實「籍」雖然命中注定，若加入同鄉會就並非身不由己；而「系」除國文一解外，還可以說是同學會的章系，即魯迅糾正的研究系、交通系之謂。對此沈尹默坦言：

---

40 《請看北京學界思潮變遷之近狀》，《公言報》1919年3月18日。章氏弟子經學多已轉向公羊學，小學或史學則傳自章炳麟。

41 牟潤孫：《發展學術與延攬人才——陳援庵先生的學人風度》，《海遺雜著》，香港，中文大學出版社1990年版，第85頁。在此期間先後任教於北大國文系者，除黃節、吳虞、張鳳舉、許之衡、蕭友梅、劉文典外，沈兼士、馬裕藻、朱希祖、沈尹默、錢玄同、林損、鄭奠、劉毓盤、周樹人、周作人等均為浙籍。

「蔡先生的書生氣很重，一生受人包圍，……到北大初期受我們包圍（我們，包括馬幼漁、叔平兄弟，周樹人、作人兄弟，沈尹默、兼士兄弟，錢玄同、劉半農等，亦即魯迅作品中引所謂正人君子口中的某籍某系）」[42]。所以周作人說人家總覺得北大的中國文學系是浙江人專權，「某籍某系」的謠言，雖是「查無實據」，卻也「事出有因」。

不過，魯迅的辯解亦非惺惺作態，因為這畢竟不是正式的團體組織，人在圈內外的感覺不盡相同。周作人自認為「在某系中只可算得是個幫閒罷了」，許多事情不能參加，魯迅更從來不以北大教員自居，未參與浙人把持之事。圈外人也往往依據圈內人與自己關係的親疏論在籍與否，馬衡的人緣即相對不錯。而有「鬼穀子」之稱的沈尹默，在該集團中「雖凡事退後，實在卻很起帶頭作用」。他和年長的馬幼漁進北大尚在蔡元培長校之前，「資格較老，勢力較大」。[43]1922年胡適從丁文江、秦景陽等人口中瞭解到的北大十年史，幾乎就是一部沈尹默弄權史，連胡適本人也不免為其利用。[44]但這還是主干與附從的關係，周氏兄弟雖不以籍和系自居，卻因此而受益，其進北京和進北大，背後都有籍與系的關聯，在被排擠的旁人眼中，自然仍是同一利益團體中的分子。

中國為人情社會，而且實際上地緣較血緣作用更大，同鄉同學又是維繫人情的重要紐帶，這種感情因素往往制度化為社會組織功能。紹興師爺的獨佔性，據說主要便是靠組織制度的優勢而非一方水土賦予一方人的特長。如果處置得宜，或無他人在側，則至多不過被斥為

---

42 沈尹默：《我和北大》，政協全國委員會：《文史資料選集》第61輯，北京，中華書局1979年版。

43 《苦茶——周作人回想錄》，蘭州，敦煌文藝出版社1995年版，第321頁。

44 中國社會科學院近代史研究所中華民國史研究室編：《胡適的日記》，第392-393頁。沈、馬等人引進旁系，往往有利用（如吳虞）或藉重（如王國維）之心。

學閥。照胡適的看法，北大作為最高學府是不妨做學閥的。[45]然而一旦因此而導致負篩選，則難免武大郎開店之譏，甚至怨聲載道了。太炎學派代桐城派古文家而興，本是進步，而蔡元培長校期間，又引進新人，留用舊派，浙人的把持，還處於相容並包的總形勢之下。更為重要的是，當時的北京大學尤其是文科中的文史之學，在全國高等教育界一支獨秀。蔡元培對此十分了然，1921年7月他在三藩市對華僑演講道：

> 「國立大學只有四個，其中天津之北洋大學，只有法、工兩科。山西大學雖有四科，惟因交通不便，學生亦僅數百人。東南大學新辦預科，其幼稚可以想見。……中國之私立大學，亦寥若晨星，北京則有中國、民國，上海則有大同、復旦，且經費亦感困難。此外則有廈門大學（預科）。……力量較大者，惟一北京大學，有三千餘學生，一百六十餘教授，單獨擔任全國教育。」[46]

在別無分店競爭的局面下，本身學術貧乏的北大感受不到外部壓力。

馮友蘭說在不論政派政見以及年齡大小的兩方面相容並包中，「蔡先生把在當時全國的學術權威都盡可能地集中在北大，合大家的權威為北大的權威，於是北大就成為名副其實的最高學府，其權威就是全國最高的權威。在北大出現了百家爭鳴、百花齊放的局面，全國也出現了這種局面。」[47]這多少摻入了後來的觀念，且失之籠統。還

---

45 中國社會科學院近代史研究所中華民國史研究室編：《胡適的日記》，第238頁。
46 孫常煒編著：《蔡元培先生年譜傳記》中冊，臺北，國史館1986年版，第502-503頁。
47 馮友蘭：《我所認識的蔡孑民先生》，《追憶蔡元培》，第166頁。

是辦武漢大學頗有成就又當過教育部長的王世杰講得較為具體客觀：「用普通教育的眼光，去評量當時的北大，北大的成就，誠然不算特別優異。從思想的革命方面去評量北大，北大的成就，不是當時任何學校所能比擬，也不是中國歷史上任何學府能比擬的。」[48] 1921年吳虞進北大前夕，友人告以「北大是全國文化運動中心（內容姑不必論）」[49]；1925年魯迅對蔡元培長校以來北大的評價仍是：「第一，北大是常為新的、改進的運動的先鋒，……第二，北大是常與黑暗勢力抗戰的」[50]。所肯定的都是思想政治方面的作用，而不及於學術。

對北大學術成就看法的保留，與中國高等教育量的激增以及某些學科質的提高不無關係。到1926年，北京的國立大學增加到9所，地方則有南京東南大學、廣州廣東（中山）大學、天津北洋大學、上海南洋、同濟、政治大學，雲南、陝西、四川、湖北、湖南、河南、山東、河北、奉天等省均設立大學，浙江、安徽則已成議；而私立者更多，北京、上海兩地各30所，加上其它各地，共80餘所；另外教會大學在非基督教運動後也提倡中國化。[51]北大的獨佔地位從此被打破，同類比較中學術水準高低的砝碼自然日益加重。當時中國的大學足以言學術者，主要還是文科中的中國學。由於清華舉辦國學院，燕京加強中國化，輔仁穩步發展，中國大學樹旗對壘，北大的學術權威受到嚴重挑戰。而北大在這一領域為浙人把持的狀況，較往日有增無減。身歷其境的吳虞對此深有體會，常有人與之談及，「馬幼漁、沈士遠為三千學生所認為不行者」;「劉半農之無恥無學，任教授一年半，因

48 王世杰：《追憶蔡先生》，《追憶蔡元培》，第80頁。

49 中國革命博物館整理，榮孟源審校：《吳虞日記》上冊，成都，四川人民出版社1984年版，第581-582頁。

50 《我觀北大》，《魯迅全集》第3卷，北京，人民文學出版社1989年版，第157-158頁。

51 《十五年來我國大學教育之進步》，《申報》1926年10月10日國慶增刊。

學生不上渠課，尹默乃運助出洋，實非例也」[52]等，雖夾雜舊派的鄙夷，畢竟反映部分事實。

尤其是國民政府統一後，浙人因前此反對奉系軍閥，支持國民黨，多受重用，勢力還有進一步擴張之勢。1928至1931年在北大以旁聽生名義進修的吉川幸次郎，對當時北大文學院教師80%為浙江人，以及北大浙人與外部非浙人的矛盾衝突，留下深刻印象。[53]楊樹達在日記中多次對此表示強烈不滿，其嚴重性已經引起北大學生乃至同籍同門的反感。1929年北大學生曾開會「以朱希祖、馬裕藻兩主任把持學校，不圖進步，請當局予以警告」，兩人因而提出辭職，經代校長陳百年、校長蔡元培再三慰留，才勉強復職。[54]1930年底，北大史學系學生散發《全體學生驅逐主任朱希祖宣言》，列舉罪狀三大綱十四條，並致函朱希祖，迫其辭職。朱一面撰文辯駁，一面提出辭呈，雖經陳百年慰留，去意已決。[55]

1931年國文系學生又集會要求聘楊樹達任教。黃侃聲稱：「北京治國學諸君，自吳檢齋、錢玄同外，余（季豫）、楊二君皆不愧為教授」，言下之意，他人均不足道。而吳承仕、楊樹達、余嘉錫等，正是對浙人把持反應最強之人。「檢齋為章門高第弟子，學問精實。其同門多在北大任職，以檢齋列章門稍後，每非議之；實則以檢齋學在

52 中國革命博物館整理，榮孟源審校：《吳虞日記》下冊，四川人民出版社1986年版，第233、274頁。劉複本非同籍，而被沈尹默等認作同係。

53 《留學時代》，《吉川幸次郎全集》第22卷，東京，築摩書房1975年版，第384-394頁。

54 《陳代校長致馬朱兩教授函》，《北京大學日刊》第2237號，1929年9月23日；《蔡校長致馬幼漁先生函》，《蔡校長致朱逖先先生函》《北京大學日刊》第2243號，1929年9月30日。

55 《史學系主任朱希祖致陳代校長書》，《辯駁北京大學史學系全體學生驅逐主任朱希祖宣言》，《北京大學日刊》第2515號，1930年12月9日；《史學系主任朱希祖致陳代校長書》，《北京大學日刊》第2518號，1930年12月12日。

己上娼嫉之故。」楊樹達曾以請吳任教事告馬幼漁，馬云：「專門在家著書之人，何必請之。」而馬本人即為「十年不作一文者也」。余嘉錫因「北京大學為某等把持，止以數小時敷衍，決不聘為教授，致與人相形見拙。」同為浙籍的單丕「憤朱、馬輩把持」，甚至說：「欲辦好北大，非盡去浙人不可。」連一向與人為善的陳垣談及北平教育界情形，也「深以浙派盤踞把持不重視學術為恨」。[56]他雖然因沈兼士的關係被北大國學門聘為導師，卻不能做本科專任教授。[57]唯有同是浙人的王國維，才享有幾度拒受北大禮聘的待遇資格。

對於北大學術水準的欠缺，胡適似有相當的自覺，十年間他反覆向師生大聲疾呼，不惜危言聳聽。1920年，被人恭維作新文化運動領袖的胡適對於北大全校兩年間只能出5期月刊，5種著作、1種譯著的情況感到痛心疾首，稱為「學術界大破產」[58]。陳獨秀雖然不同意其一味主張提高，也承認北大理科並未發展，「文科方面號稱發展一點，其實也是假的」[59]。時隔兩年，北大25週年校慶，胡適再度刊登文章，發表演說，對於該校「開風氣則有餘，創造學術則不足」的狀況痛加批評，認為本應有世界性貢獻的社會科學，仍然是百分之九十九的稗販，希望「北大早早脫離稗販學術的時代而早早進入創造學術的時代」。[60]這次得到李大釗的共鳴，後者自問：「值得作一個大學第二十五年紀念的學術上的貢獻實在太貧乏了！」並且斷言：「只有學術上的發展值得作大學的紀念。只有學術上的建樹值得『北京大學萬

56 楊樹達：《積微翁回憶錄》，第25、43、45、57、63、70、72頁。

57 牟潤孫：《清華國學研究院》，《海遺雜著》，第411頁。

58 《胡適之先生演說詞》（陳政記錄），《北京大學日刊》第696號，1920年9月18日。

59 獨秀：《提高與普及》，《新青年》第8卷第4號，1920年12月。

60 《回顧與反省》，《北京大學日刊》第1136號，1922年12月17日；《教務長胡適之先生的演說》(陳政記錄)，《北京大學日刊》第1138號，1922年12月23日。

歲！』的歡呼。」[61]

然而，十年後情況仍無多少改善，1931年胡適在北大文學院開學演說時聲言：「北大前此只有虛名，以後全看我們能否做到一點實際。以前之『大』，只是矮人國裏出頭，以後須十分努力。」[62]可惜積重難返，歷史系因朱希祖去職，傅斯年代管系務，尚能引進新人，儘管錢穆、蒙文通等並不為主流派所欣賞。而國文系在胡適接替兼職的蔣夢麟出長北大文學院著手改革時，連裁併課程也遭到馬幼漁的抵制。直到1934年，胡适才徵得蔣夢麟的支持，解聘林損等人。傅斯年得知「國文系事根本解決，至慰」，拍手稱快之餘，認為「此等敗類，竟容許其在北大如此久」，是由於馬幼漁曲意袒護，指馬為「此輩之最可惡者」，[63]「罪魁馬幼漁也。數年來國文系之不進步，及為北大進步之障礙者，又馬幼漁也。林妄人耳，其言誠不足深論，馬乃以新舊為號，顛倒是非，若不一齊掃除，後來必為患害。」請求蔣夢麟當機立斷，不留禍根。並稱：「馬醜惡貫滿盈久矣，乘此除之，斯年敢保其無事。如有事，斯年自任與之惡鬥之工作。」[64]措辭如此激烈，固有胡適一派的夙怨作祟，亦可見前此浙人把持之甚。而胡、蔣合力，在籍係聲勢已衰之際尚只能動林損而不敢碰馬幼漁，則鼎盛之

61 守常：《本校成立第二十五年紀念感言》，《北京大學日刊》第1136號。

62 《胡適日記》手稿本，1931年9月14日，臺北，遠流出版事業股份有限公司1990年版。是年3月，北大教授評議會決議改文理法三科為院，蔣夢麟擬聘胡適為院長，因胡堅辭，又找不到合適人選，不得已暫時自己兼任（《國民教育狀況》，《日華學報》第25號，1931年6月）。

63 耿雲志：《胡適年譜》，成都，四川人民出版社1989年版，第219-220頁。至於林損的學問究竟如何，則人言言殊，吳宓與之久談，即「甚佩其人。此真通人，識解精博，與生平所信服之理，多相啟發印證」（吳宓著，吳學昭整理注釋：《吳宓日記》第3冊，北京，生活・讀書・新知三聯書店1998年版，第59頁）。

64 中國社會科學院近代史研究所民國史組編：《胡適來往書信選》下冊，北京，中華書局1980年版，第531頁。原書注此函約寫於1931年，誤。

日的八面威風可想而知。

1920至1930年代，正值中國學術界人才輩出之時，占盡天時地利的北京大學，因人為因素而不能吸引一流人才，真正形成學術中心，不僅有礙於中國學術的發展，也影響到中國學術界的國際地位和聲譽。吉川幸次郎等人留學的目的，本是秉承狩野直喜的教誨，欲用當代中國學人同樣的方法治中國學，但在北大三年，聽馬幼漁、朱希祖的《中國文字聲韻概要》、《經學史》、《中國文學史》、《中國史學史》等課程，甚至包括到中國大學聽課，[65]充其量只得到清學殿軍的餘緒，而不及中國學術的前鋒。1933年來華考察交流學術的國際漢學泰斗伯希和，原是北京大學研究所國學門通訊員，論人則推崇王國維、陳垣，論機構則讚譽史語所、燕京和輔仁，對北大似乎置若罔聞。而浙派宗師章炳麟對弟子們的表現也頗為不滿，1922年底他演講浙江文學時稱：

「今浙人之所失者，即在無歷史學問。浙人前以經學著名者甚多，如俞樾等是也。今則浙人已失其根本矣。或謂歷史不過是

65 《吉川幸次郎全集》第16卷北大學院旁聽證照片。吉川說他在南京拜訪黃侃並向其請教，曾問過幾位北京學者不得要領的問題，立即釋疑，因而感歎留學三年首次見到真像學者的學者（同書《南京懷舊絕句》，第569頁）。據黃侃去世後1935年11月2日吉川致潘景鄭函：「幸次郎於此公私淑有年，昔江南之遊，稅駕金陵，亦職欲奉手此公故也。通名摳謁，即見延接，不遺猥賤。誥以治學之法，曰：『所貴乎學者，在乎發明，不在乎發見。今發見之學行，而發明之學替矣。』又曰：『治經須先明家法，明家法，自讀唐人義疏始。』皆心得之言，可傾聽也。談次，幸次郎輒質之曰：『穀梁釋文兩雲釋舊作某，何謂也？』公即應之曰：『此宋時校者之詞，非陸本文。釋舊作某者，釋文舊本作某云爾。』幸次郎蓄此疑有年，問之北士，皆未之省，得公此解，乃可渙然。於此彌益歎服，即有從遊之志。第以瓜期已促，弗克如願，遽爾再拜，依依而別。臨別賦詩見贈，又致書印泉李公，使幸次郎謁之。……東歸之後，音敬遂疏，然景仰之私，未嘗一日廢，每謂他日果得再游上國，必以此公為師。」（《制言半月刊》第5期，1925年11月16日）

過去的記載，無甚名貴，此皮相之論。……清代浙人，專致力於詞章之學，實則若輩所作詩詞駢文，亦不甚出色也。」

吳虞推測此「殆亦悟其徒多致力於音韻字義，有用少乎者。」[66]雖然章曾在弟子中戲封東西南北天王，晚年卻認為「前此從吾游者，季剛絸齋，學已成就。絸齋尚有名山著述之想，季剛則不著一字，失在太秘。」[67]語不及「同籍同系」的浙人，並引戴震的話說：「大國手門下，只能出二國手，而二國手門下，卻能出大國手。」[68]這在歷來對他人苛對弟子寬的章炳麟來說，可謂出言極重了。

三　新文化派

陳寅恪泛稱江淮，一則歷史上浙西本不限於當時的浙境，二則晚清浙學泛及江南，三則不欲顯露譏評時人之旨，而另一重深意，當隱指非浙籍的其餘北大派人士，特別是胡適一流。這裏的北大派，並非在北大任教或由北大出身者的全體概稱，而是如今關壽麐所劃分，主張結合清代考證學餘流與西洋諸學，提倡白話文的新文化派。正如不能將所有在北京教育界和北大任教的浙江人都視為某籍某系，同是浙

66 中國革命博物館整理，榮孟源審校：《吳虞日記》下冊，第75頁。

67 姚奠中、董國炎：《章太炎學術年譜》，太原，山西古籍出版社1996年版，第453頁。

68 湯炳正：《憶太炎先生》，陳平原、杜玲玲編：《追憶章太炎》，北京，中國廣播電視出版社1997年版，第459頁。章太炎《菿漢閒話》：「東原云：大國手門下，不能出大國手，二國手三國手門下，反能出大國手。蓋前者倚師以為牆壁，後者勤於自求故也。然東原之門，即有王、段、孔三子，所得乃似過其師者，蓋東原但開門徑，未遽以美富示人。三子得門而入，始盡見宗廟百官耳。前世如張蒼門下有賈太傅，而賈長卿輩經術不過猶人；梁肅門下有韓退之，而籍湜輩文學去退之已遠，則真所謂二國手三國手門下能出大國手，大國手門下不能更出大國手也。」（《制言半月刊》第13期，1936年3月16日）。

籍的葉瀚、陳漢章便不在其列一樣，不少北大教師還是非北大甚至反北大派。張爾田便有意劃清界限：「民國以後，主講北京大學，而所謂赫赫有聲之北大派，僕亦未嘗有所附麗。凡我同好，如黃誨聞諸公，皆可為我證明此言。」[69]面對北大日益趨新，他主張堅固團體，以求自保。[70]

自蔡元培接掌北大起，文科就有新舊兩派之分，新派以陳獨秀為首，胡適、錢玄同、劉半農、沈尹默等主幹，舊派以劉師培為首，與黃侃、馬敘倫結合，並得到附屬該校的國史編纂處屠寄、張相文等人的同情，朱希祖的主張介乎二派之間，行動則與新派關係較多。[71]新派的陣地，原在改為同人雜誌的《新青年》，向社會宣傳鼓吹新文化，在北大內部，則進行宗旨課程的改革更新。在這兩方面，胡適不僅是外來戶，而且是遲到者。早在他入北大前，「舊教員中如沈尹默、沈兼士、錢玄同諸君，本已啟革新的端緒」[72]。1919年陳獨秀在湯爾和、沈尹默等人的極力排擠之下，被迫離開北大，胡適無形中成為新派的重用代表。他進北大主要是陳獨秀援引，[73]陳去勢孤，校內

---

69 張爾田：《與大公報文學副刊編者書之五・論研究古人心理》，《學衡》第71期（1929年9月）。

70 中國革命博物館整理，榮孟源審校：《吳虞日記》上冊，第625頁。

71 《請看北京學界思潮變遷之近狀》，《公言報》1919年3月18日。此文刊登後，《國故》月刊社和劉師培分別致函《公言報》，指其報導失實，稱北大並無新舊之爭。但所辯解主要在《國故》本身所扮演的角色。

72 《蔡元培自述》，臺北，傳記文學出版社1978年版，第44頁。

73 中國社會科學院近代史研究所民國史組編：《胡適來往書信選》上冊，北京，中華書局1979年版，第6頁。余英時《中國近代思想史上的胡適》(《傳記文學》第44卷第6期，1984年6月）謂胡適進北大任教主要靠考據文字，似以社會常情代具體殊境。胡適的《爾汝篇》、《吾我篇》兩舊作再刊於《北京大學日刊》，雖被視為「以新科學研究法研究吾國國學」，卻有師生劉熹和、毛準、陳漢章等人出而有所論難引申。參見劉熹和：《書爾汝篇後》；毛準：《書爾汝篇後後》，《書爾汝篇後後補》，《書吾我篇後》；陳漢章：《爾汝篇卮言一則》，《北京大學日刊》第68、70，1918年2月9日，1918年2月18日、74-81號，1918年2月22-3月2日。

外兩方面事業的主要合作者都是浙籍章係，雙方既有不少共識，又存在複雜的人事糾葛。

原來浙人把持之事，遠不止於文史兩系，更關乎整個北大行政。1923年度北大共有教職員286人，其中浙江籍67人，占1/4，居首位。其餘依次為直隸55人，江蘇48人，廣東27人，安徽20人，湖北18人，江西11人，福建、湖南各9人，四川、山東各5人，河南4人，廣西、山西各2人，陝西、貴州、甘肅、奉天各1人[74]。早期浙人包圍蔡元培，旁觀者就譏笑怒罵，如錢玄同常到蔡元培處，被譏為「阿世」[75]。在此期間，先後於北大行政舉足輕重的湯爾和、蔣夢麟等人，常在人事安排方面黨同伐異，被指為「浙派之植黨攬權」。此外，沈尹默是所謂北大「法國文化派」要員，和李石曾、顧孟餘等「結黨把持」，與胡適對抗。胡適則逐漸培植自己的人脈，即後來魯迅所謂「現代評論派」，形成「法日派」與「英美派」抗衡競爭的態勢。到1926年，據說「北大教職員會，李派與胡適之派人數平均」[76]。胡適自稱：「我對尹默，始終開誠待他，從來不計較他的詭計，而尹默的詭計後來終於毀了自己。」[77]陳源和魯迅的衝突，背後即有浙、胡兩派矛盾的作用。

雙方在國學研究領域也時有摩擦。胡適十分推許本派後起之秀的顧頡剛及其《古史辨》，國學門主任沈兼士則因顧與胡適親近而頗疑忌之，胡適撰文交由顧頡剛在研究所的刊物發表，沈兼士怒道：「他不是研究所的人，為什麼他的文章要登在研究所的刊物上！」其實胡

74 中國革命博物館整理，榮孟源審校：《吳虞日記》下冊，第151頁。吳虞誤計總數為268人。

75 罵錢玄同「曲學阿世」者，周作人說是黃侃，吳虞則記為陳介石。

76 中國革命博物館整理，榮孟源審校：《吳虞日記》下冊，第154、295頁；《胡適日記》手稿本，1925年1月17日。

77 中國社會科學院近代史研究所中華民國史研究室編：《胡適的日記》，第393頁。

適擔任研究所的委員和導師。[78]顧又認為沈兼士等人「心腸真狹窄，教我如何能佩服！」[79]並指「錢玄同輩的有新無舊一派」，「彷彿以為人類是可以由上帝劈空造出來的」觀念，「只成一個彈指樓臺的幻境罷了」。[80]因此，編輯《國學季刊》時為論文的排列順序也發生爭議。[81]吉川幸次郎稱吳承仕、顧頡剛等與浙人不諧，是省籍矛盾的表現。胡適推薦周作人去燕京大學任國文系主任，以圖另立門戶，「據所謂『某籍某系』的人看來，這似乎是一種策略，彷彿是調虎離山的意思。」[82]雙方的矛盾一直延續到廈門大學國學院，1927年2月，顧頡剛在日記中記道：「兼士先生與我相處三年，而處處疑忌我為胡適之派，我反對伏園、川島全是為公，而彼對人揚言，以為是黨爭。可見他之拉我，非能知我，乃徒思用我耳。」[83]

儘管如此，雙方在提倡白話文，創作新詩，以及疑古辨偽等方面，畢竟還是同道。為了達到主要目的，不能不有所妥協遷就。特別是在校內舊派勢力尚大，而社會上反對呼聲亦高的情況下，一致對外便成為首選策略。與胡適矛盾最深的沈尹默，認為自己不能去法國進修而改到日本，是由於胡適的反對干擾。但胡適致函青木正兒介紹沈尹默，又稱「他是我的朋友，是『新詩』的一個先鋒。」[84]沈兼士也曾為顧頡剛所編書籍作序。胡適撰寫北大《國學季刊》發刊宣言，要

78 顧潮：《歷劫終教志不灰——我的父親顧頡剛》，上海，華東師範大學出版社1997年版，第101頁。

79 中國社會科學院近代史研究所民國史組編：《胡適來往書信選》上冊，第429頁。

80 《顧頡剛遺劄》，王元化主編：《學術集林》卷一，上海，遠東出版社1994年版，第257-258頁。

81 《胡適日記》手稿本，1923年4月4日。

82 周作人：《苦茶——周作人回想錄》，第321頁。

83 顧潮編著：《顧頡剛年譜》，北京，中國社會科學出版社1993年版，第137頁。

84 耿雲志、歐陽哲生編：《胡適書信集》上冊，北京大學出版社1996年版，第287頁。

代表全體發言，便不得不顧及看法不盡相同的太炎門生的意見。[85]因此，外界看來，北大派仍為統一的整體。而浙人的把持教育，往往又和北大派的爭權壟斷牽扯聯繫，只是這一變化附上了新舊衝突的色彩。

第一次世界大戰後，在國際形勢壓力和自身利益需要之下，日本朝野提議歸還庚款，用以舉辦所謂對支文化事業。此事在中國引起普遍反響。北京大學因為與北洋政府關係緊張，財政受到壓抑，很想利用國立大學的有利地位，參與庚款用途計劃。早在1922年7月，胡適、蔣夢麟等人就擬訂計劃，主張提倡東方文化研究，設立歷史、自然博物館和圖書館，在中國國立大學設日本文學、歷史、法制等講座，附帶圖書購置費，以及設日本留學中國學額，在日本帝國大學設中國講座等。[86]該計劃顯然使北大享有絕大部分利益。在校方授意下，一些留日出身的北大教授與日方官員合組中日學術協會，積極活動。後來中日雙方協議，在北京設人文科學研究所和圖書館，在上海設自然科學研究所，[87]北大又有謀劃「將圖書館及人文研究所館長、所長歸校長兼理之說」，引起校外學者的不滿。張星烺函告陳垣：

> 「北大黨派意見太深，秉事諸人氣量狹小，其文科中絕對不許有異己者。而其所持之新文化主義，不外白話文及男女同校而

---

85 陳以愛：《中國現代學術研究機構的興起——以北京大學研究所國學門為中心的探討（1922-1927）》第三章《北大國學門「整理國故」的研究方向》第一節《國學季刊・發刊宣言——新國學的研究綱領》，臺北，政治大學歷史學系1999年版，第222-272頁。

86 中國社會科學院近代史研究所中華民國史研究室編：《胡適的日記》，第395頁。

87 黃福慶：《近代日本在華文化及社會事業之研究》，臺北，中研院近代史所專刊451982年版；魯迅博物館藏：《周作人日記》影印本，鄭州，大象出版社1996年版；《苦茶——周作人回想錄》。

> 已。當其主義初創時，如屠敬山等史學專家皆以不贊同白話文而被擯外間，有知其內容者皆深不以其事為然。北大現在已幾成為政治運動專門機關，不宜再使與純萃學術牽混，故圖書館館長及研究所所長皆宜立於黨派之外，且人須氣量寬洪也。聞日人有派柯劭忞或梁任公充所長之說，烺意此兩人甚相宜。柯則為遺老，與世無爭，梁則無黨，且氣量寬洪，可容納異派人也。」

他希望陳垣將此意見轉告日方，如公開發表，則願具名。[88]

張星烺的態度多少受其父張相文的影響，後者與屠寄曾為北大國史館編纂兼講師，因支持舊派而被排擠。不過日方拉攏北大，是鑒於北洋政府無望，試圖找與國民黨有淵源者牽線搭橋，以便在談判中討價還價，儘量保留既得利權。後來形勢變化，對北大的態度也隨之冷淡。而梁啟超的研究系在學界名聲不佳，所以所長由東方文化事業總委員會總裁柯劭忞兼任。可惜這位意外獲贈日本文學博士學位的遺老，學問雖號稱與沈曾植南北並立，卻不能用人唯賢。其親隨並無才學，亦得入選，而狩野直喜一再推薦，中日各方又一致公認的首選人物王國維卻被擯於外。

由於新文化運動以來北大一直是新風氣的代表，針對北大派的種種批評議論，往往被斥為守舊。其實，歷史的複雜曲折，並非這種簡單劃分所能概括和認識。

---

88 陳智超編注：《陳垣來往書信集》，第209頁。1923年4月，丁文江曾致函胡適，試圖聯合南北學術機構團體對此事發表正式意見，提出三條原則：1、用人應絕對破除留學國界、政治黨派、省界。2、評議員請有名的老先生，而所長館長請年富力強、確有成績的人。3、應與現有的中國機關合作。這無疑也有利於北大（中國社會科學院近代史研究所民國史組編：《胡適來往書信選》上冊，第194-195頁）。

新文化運動的歷史功績早有定評，勿庸置疑。然而，包括輸入新知、文學革命、思想改革和整理國故幾方面，新文化運動者的「學行淺薄」，[89]恐怕是難以一概否認的事實。贊成新文學和白話文的金毓黻也認為「新文學家之缺點，不在主張之不當，乃在根柢之不深。彼輩太半稗販西籍，不入我見，日以發揮個性詔人，曾不知己身仍依傍他人門戶以討生活，此根柢不深之失也。尚論之士，宜分別觀之，既不能因其主張尚正而為之迴護其失，亦不能因其植根淺薄遂並其主張亦一概抹殺也。」[90]胡適曾對登門請教國文講法的吳虞說：「總以思想及能引起多數學生研究之興味為主。吾輩建設雖不足，搗亂總有餘。」[91]這正是不少新文化鼓動者存心破壞以致眾從的心理自白。因此，其興也速，振動社會，帶引風潮，聲勢浩大，頗有順者昌逆者亡之勢。但風頭過後，內囊就不免盡了上來。所以，對新文化運動的全面認識，至少應包括其凱歌式行進之後。這時批評者的合理內核也會顯現，不能一言以蔽之曰頑固守舊。

1920年胡適批評北大雖然掛著「新思潮之先驅」、「新文化的中心」兩塊招牌，其實「現在並沒有文化！更沒有什麼新文化！」他被恭維成「新文化運動的領袖」，卻自稱「無論何處，從來不曾敢說我做的是新文化運動」，指責「現在所謂新文化運動，實在說得痛快一點，就是新名詞運動」，呼籲北大同人全力切實求真學問，提高學術程度，以期「十年二十年以後也許勉強有資格可以當真做一點『文化

---

89 蕭公權《落花：和雨僧空軒之作》：「靈風吹夢得歸無，夢到秦樓事事殊。寶鏡新妝誇半面，羅襦近好係雙珠。空傳謝掾挑鄰女，幾見文君憶故夫。鶗鴂先鳴蘭芷變，碧城回首隔平蕪。」《國風》第5卷第5期，1934年9月1日。新文化興盛之際，不少同道已指出主持諸人有簡單表淺意氣等弊病，只是有保留地同意其大方向。

90 金毓黻著，《金毓黻文集》編輯整理組校點：《靜晤室日記》第1冊，第512頁。

91 中國革命博物館整理，榮孟源審校：《吳虞日記》上冊，第599頁。

運動』」。[92]在輸入新知方面，胡適的實驗主義比《學衡》的人文主義當然要淺而且偏，前者只籠統地拿來不論正邪的當代新思想，後者則主張從文藝復興甚至希臘羅馬時代的源頭分清主流與支脈。陳寅恪特別批評從東歐和北美囫圇吞棗的新理論，顯然指胡適的實驗主義科學方法和當時熱火朝天的社會性質論戰。1932年浦江清提議辦《逆流》雜誌，「以打倒高等華人，建設民族獨立文化為目的」，得到向達、王庸、錢穆等人的贊同。「《逆流》者，逆歐化之潮流也。」[93]這時人們已逐漸趨於擯除門戶之見的輸攻墨守，「化中外之異端，集古今之流派」，正如早年與《學衡》同道而不排斥白話文的《湘君》所主張：「不嫉惡而泥古，惟擇善以日新」[94]。

新文學方面，形式上的白話文和新詩，不久都遭受嚴重挫折。白話文雖經大眾語的有意矯枉過正而得以堅持普及，新詩卻至今仍有爭議。今人多誤信胡適對新文學運動的總結，以為反對派不堪一擊，被新思潮風捲殘雲。其實胡適為《申報》50週年紀念冊所寫的《五十年來中國之文學》作於1922年3月，正值鼓吹新文學如日中天的顛峰狀態，而胡適歷來講話內外有別，在北大談新文化和學術尚能自省，公開評價新文學的成就則不免誇張，對反對聲音過早定論。他斷言：

> 「《學衡》的議論，大概是反對文學革命的尾聲了。我可以大膽說，文學革命已過了討論的時期，反對黨已破產了。從此以後，完全是新文學的創造時期。」[95]

---

92 《胡適之先生演說詞》(陳政記錄)，《北京大學日刊》第696號，1920年9月18日。

93 浦江清：《清華園日記．西行日記》，北京，生活．讀書．新知三聯書店1987年版，第69頁。

94 周光午選輯：《吳吉芳先生遺著續篇》，《國風》第5卷第11、12合期，1934年12月。

95 姜義華主編，沉寂編：《胡適學術文集．新文學運動》，北京，中華書局1993年版，第169頁。

然而，世界上沒有一種文學可以不經創作階段的檢驗便大功告成，極盛恰是中衰的先兆。新文化淺薄的弊病很快暴露，證明胡適的預言為時過早。僅僅過了一年多，張聞天就對中國文壇的狀況感到難以容忍，他說：

> 「自從白話詩、白話文、白話小說流行以來，一般青年都爭著做詩、做文、做小說，這並不是他們對於文藝方面有特別的興趣，這是因為這樣可以用最少的努力得到最大的效果。最近更因為做長詩不容易，所以大家去做短詩了。社會上充滿了無數的青年詩人！其次是文章家，又其次是小說家！……但是我痛恨一般以文藝為終南捷徑的青年！」[96]

而白話詩文小說，正是胡適一年前詡為成功、成立和進步，以證明新文學成績大勢的幾個要點！

絕非保守的朱自清綜合郭沫若、成仿吾、鄭伯奇、丁西林等人的評論，對此分別有形象的描述，他稱「新文化運動以來的譯文譯書，其『糟粕』是『有目共賞』，『有口皆碑』」；「近幾年來『一般的』趨向……總名之曰：『雜誌之學』！」「中國五四以來的雜誌，雖也有些介紹西洋新學說的，但雜湊材料，東拉西扯的卻非常的多！只看近日這些出版品已零落略盡，便可以知它們價值之如何了！」「提倡白話文，雖有人說是容易作，但那只是因時立說，並不是它的真價值。一般人先存了個容易的觀念，加以輕於嘗試的心思，於是粗製濫造，日出不窮。」並借他人之口說：「新詩破產了！什麼詩！簡直是：羅羅

96 張聞天：《生命的跳躍——對於中國現文壇的感想》，《少年中國》第4卷第7期，1923年9月。

蘇蘇的講學語錄；瑣瑣碎碎的日記簿；零零落落的感慨詞典！」白話詩如摩登小姐，既無品格，又無風韻，和八股文「同樣的沒有東西，沒有味兒」[97]。1922年《學衡》頂風逆流從古典立場立論的批評，如今被新文化主義者自己更加痛快淋漓地表達出來。可見與胡適的指責相反，這種反對論確是「持之有故，言之成理」，不僅和不該稱為「學罵」的。

於是許多過去新的先鋒，都轉而向著整理國故去深厚自己。「學術上考據之風大盛，即研究文學藝術者，亦惟以訓詁歷史相尚，而於文藝本身之價值反不甚注意。各大學國文系課程，往往文字訓詁為重，其關於文學史之課程，內容亦多考證文人之生卒，詩文之目錄，及其文法章句名物故事之類，而於文學批評與美術之品鑒忽焉。」[98]連新文化運動源頭的北京大學，歷史系「應當稱作中國古代史專業（先秦史專業）」[99]，國文系也是重考古，輕創作與欣賞批評，令胡適感到「風氣之偏」[100]。不能說錢玄同、劉復是復舊，而聞一多的越來越古便是精深。

此風一直持續到1940年代，大學裏的中國文學系都是古典文學一枝獨秀，而且「充滿著『非考據不足以言學術』的空氣」[101]。「新文藝作家插足在中國文學系，處境差一點的近乎是童養媳，略好一點的也只是『局外人』，夠不上做『重鎮』或者『臺柱』之類的光寵。」西南聯大中文系主任羅常培要糾正學生「愛讀新文學，討厭舊文學、

97　《課餘》；《翻譯事業與清華學生》；《新詩》，朱喬森編：《朱自清全集》第4卷，南京，江蘇教育出版社1990年版，第145、262、216-217頁。

98　《清華文史周刊專號》，《讀書月刊》第1卷第9號，1932年6月。

99　楊向奎：《回憶錢賓四先生》，中國人民政治協商會議江蘇省無錫縣委員會編：《錢穆紀念文集》，上海人民出版社1992年版，第3頁。

100　《胡適日記》手稿本，1934年2月14日。北大國文系共開課31門。

101　《古史辨第四冊》書評，《讀書月刊》第2卷第7號，1933年4月。

老古董」的思想，聲稱：「中國文學系，就是研究中國語言文字、中國古代文學的系。愛讀新文學，就不該讀中文系！」[102]抗戰勝利後，中文系師生的認識分歧有增無減，同學認為所開課程中國太多，文學太少，近於國學系而非文學系，有誤入甚至受騙之感。[103]

有一則在西南聯大廣為流傳的口碑，最為生動地反映這種世風流變。據說一次跑空襲警報，沈從文從自稱為天下兩個半莊子中半個的劉文典身旁擦肩而過，後者大為不悅，對學生說：「沈從文是替誰跑警報啊！這麼匆匆忙忙地！我劉某人是替莊子跑警報，他替誰跑？」[104]沈從文曾是胡適推許為在中國公學「最受學生愛戴，久而不衰」的教新文學的新文學作家，劉文典則是1920年代初在北大「背時極了」的人物。他雖列名章門，但不同籍，也不得某係的好處，「不如典的，來在典後兩年的，都是最高級俸」，而他整整5年，「總是最低的俸」。北大章程規定，以授課時間之多少，教授的成績，著述及發明，在社會之聲望四項條件為升遷依據，他自認為除末條外，其餘均不輸於人。[105]而後一條件的取得，顯然以新文化為捷徑，順應時勢，大可一好遮百醜。魯迅後來批判策動新文化的北京學者在北伐成功後「身穩」「身升」，「幾乎令人有『若要官，殺人放火受招安』之感」[106]，則獲得社會聲望的動機目的手段，也不能不令人懷疑。劉文典雖然「天資甚高，作舊體文及白話文皆可誦」，胡適說他和錢玄同

102 劉北汜：《憶朱自清先生》，《新文學史料》1982年第4期。

103 浦江清：《清華園日記・西行日記》，第242-243頁。

104 吳魯芹：《記珞珈三傑》，《傳記文學》第35卷第4期，1979年10月；李鍾湘：《國立西南聯合大學始末記》，《傳記文學》第39卷第2期，1981年8月。其餘兩位莊子，一為莊子本人，一為日本學者（疑指武內義雄）。

105 中國社會科學院近代史研究所民國史組編：《胡適來往書信選》下冊，第467頁。

106 《「京派」與「海派」》，《魯迅全集》第5卷，北京，人民文學出版社1989年版，第432-433頁。

是北大國文部能拿筆作文的僅有兩人[107]；劉曾於1919年在《新中國》雜誌發表《怎樣叫做中西學術之溝通》的長文，批評附會式的西學中源說，分析希臘、中國、印度三大文明系的短長，引證古今中西，很有新銳之氣。因為不能趨炎附勢，面子又覺得難堪，只好他就。不料時來運轉，社會聲望的高低也會因時而變。

北大新文化派的整理國故，包括胡適推許為不可磨滅的《古史辨》，也是破壞有餘，建樹不足。舊派的反對自然不足為據，但公開讚譽顧頡剛史學考訂超過清代語文學成績的北大同學傅斯年，背後指其「上等天資，中等方法，下等材料。」[108]極少公開臧否人物的王國維、陳寅恪等各方公認的學者，當眾與私下都有所批評。素來老成持重，又與胡適私交不錯的陳垣，也隱加諷喻。他說讀書少的人好發議論，牟潤孫揣度其意指章學誠或章所恭維的鄭樵，因為六經皆史之說，在章以前至少已有8人言及。章與鄭是胡適和顧頡剛大力發掘鼓吹之人，陳垣稱章為「鄉曲之士」[109]，實有譏刺力捧章、鄭的胡、顧之意。

1932年初，孫楷第致函陳垣，試為蠡測品類宇內名流，認為：「今之享大名者名雖偶同，而所以名者則大有徑庭，其間相去蓋不可以道里計也。」他分時賢為三類，前二者一為時勢造英雄，「偶因時

---

107 中國社會科學院近代史研究所中華民國史研究室編：《胡適的日記》，第222頁。胡適對劉文典的學問，或有謬許之處，曾經楊樹達指出。而劉文典後來據說「極端喜歡舊文學，又極端討厭白話文，常拿某些新文學家開玩笑。他是胡適之的友好，常說：『胡先生什麼都好，就是不懂文學。』」（傅樂成：《我怎樣學起歷史來》，《傳記文學》第44卷第5期，1984年5月）這恐怕是對早年境遇的逆反。

108 楊樹達：《積微翁回憶錄》，第264頁。傅斯年曾寫寓言小說諷刺顧的疑古，這大概是兩人在中山大學矛盾衝突後，傅聲言將令顧到處不能安身的舉措之一，後似未公開發表。

109 《勵耘書屋問學回憶——陳援庵先生誕生百週年紀念感言》，牟潤孫：《海遺雜著》，第97頁。與陳垣關係密切者當屬思辨社成員。

會，奮起昌言，應社會之須要，有卓特之至論，風聲既播，名價遂重，一字足以定毀譽，一言足以論高下。雖時過境遷，餘威猶在。既婦孺之盡知，亦無施而不宜。」一為淵源有自，「關閩不同，揚劉異趣，都分門戶，盡有師承，人慕桓榮之稽古，士歸郭太之品題，學利可收，清譽易致。」前者當指胡適一流，其次則章門弟子。「雖成就不同，仕隱各異，然俱有赫赫之名，既負碩望，亦具威靈。足以景從多士，輻湊門閭；然而業有不純，實或未至，其一時之聲氣誠至煊赫，身後之品藻，或難免低昂。即以見今而論，亦隨他人所認識者不同，而異其品目」。在孫楷第看來，都不過是「凡夫庸流所震盪」的「名浮於實之聞人」而已。此意他曾向余嘉錫道及，並與王重民莫逆於心，均推崇陳垣「乃不藉他力，實至名歸，萃一生之精力，有悠厚之修養，……亦精亦博，亦高亦厚，使後生接之如挹千頃之陂，鑽彌堅之寶，得其片言足以受用，聆其一教足以感發」。與胡派章門相較，一為「名浮於實」的「一時之俊」，一為「實浮於名」的「百代之英」[110]。而照楊樹達的評語，不能既溫故又知新的胡派章門非庸即妄[111]。

四面楚歌之中，北大派不免草木皆兵。1928年1月，因主辦《學衡》與胡適等結怨的吳宓主持天津《大公報》新增《文學》副刊，他請趙萬里、張蔭麟、王庸和浦江清等人相助。不久，因張蔭麟與朱希祖反覆辯論古代鐵器是否先行於南方，馬衡便「向人言《大公報・文學》副刊專攻擊北大派」。其實張蔭麟並無此意，他還曾撰文評論清華研究院所出《國學論叢》，因「罵得太過火」，吳宓讓浦江清刪改後

110 陳智超編注：《陳垣來往書信集》，第409-410頁。

111 楊樹達謂治學須先因後創，「溫故而不能知新者，其人必庸；不溫故而欲知新者，其人必妄。」前者指黃侃，後者指胡適（楊樹達：《積微翁回憶錄》，第129頁）。

仍不敢刊出。[112]「北伐成功後，所謂吃五四飯的都飛黃騰達起來，做了新官僚」[113]，吳宓得知「舊日北京大學一派人當權，則為毫不容疑之事」，與陳寅恪商量善後，表示：「清華如解散，而京中教育又為北大派所壟斷，不能見容，則或者於輔仁大學等處謀一教職。」[114]當時北京的清華、燕京、輔仁、中國等校以及北京圖書館的文史學者，不少是被北大排擠之人。

四　學分南北

陳寅恪評語的另一重意思，是所謂南學與北學（即黃河流域）的優劣浮沉。中國南北文化差異明顯，學術風格也各自不同。朱維錚教授認為：「把空間分佈作為學術派分的畛域，始於南北朝。但承認『統一』時代還存在學術的地域剖分，則盛於北宋。」[115]清代以來，學者論學，每每講究地域與流派的關係。清初顧炎武《日知錄》引《論語》評南北學者之病，指北方學者「飽食終日，無所用心」，南方學者「群居終日，言不及義，好行小慧」。梁啟超早年《論中國學術思想變遷之大勢》，即分先秦學派為南北兩支，各有正宗與支流，並據以歸納南北學之精神。[116]日本京都學派論述清代學術史也多牽連及此。

112 浦江清：《清華園日記·西行日記》，第5-12頁。

113 周作人：《苦茶——周作人回想錄》，第381頁。

114 吳學昭：《吳宓與陳寅恪》，北京，清華大學出版社1992年，第71-72頁。

115 朱維錚：《清學史：漢學與反漢學一頁》上，《復旦學報》社科版1993年第5期。學分南北，俞樾認為始於六朝，黃以周則以子遊子夏為南北學之祖，上溯至周末。武內義雄曾予以論證（武內義雄：《南北學術の異同に就きて》，《支那學》第1卷第10號，1921年6月）。

116 《飲冰室文集》上，學術，第19-20頁。

但南北學者若揚己抑彼，則為不智。民初《清史稿・儒學傳》成，請人評審，吳士鑒提出增加崔述，「其所著書，雖無家法，而北學除通州雷、肅寧苗、昌平王三人外，尚覺寥寥。東壁久已懸人心目之中，能否增附於雷傳之下，以饜北人之望，而免他日北人攻南之弊。此中消息極微渺，侄非助北學，乃所以護南學耳。」[117]陳垣對褒陳澧貶崔述者道：「師法相承各主張，誰非誰是費評量，豈因東塾譏東壁，遂信南強勝北強。」[118]道光初年江藩著《宋學淵源記》抑南揚北，但他本人籍貫揚州，而且照朱維錚教授所見，本意當在貶斥桐城諸家。

總體而言，南學強於北學，當是近代學術的一般態勢。即以舊學而論，民初北京尊奉清代北學正宗顏李學派的，唯有徐世昌的四存學會，其餘均為南學派系。直到1920年代末，王重民、孫楷第、張西堂、劉盼遂、謝國楨、王靜如、羅根澤、孫海波、肖鳴籟、齊念衡、莊嚴、傅振倫等組織學文學社，因社員多係淮黃流域學者，向達、趙萬里名之為北學派，其實不過戲言。[119]

南北學之分，又因依據不同而內容迥異。其分法有二，一據籍貫，一講居處。民國時論南北學風不同，多據後者。1922年8月胡適與來訪的日本學者今關壽麿談論中日史學，認為：「南方史學勤苦而太信古，北方史學能疑古而學問太簡陋，將來中國的新史學須有北方的疑古精神和南方的勤學工夫。」[120]此即因居處要而言之，因為北方有不疑古而勤苦之士，南方亦有信古而簡陋之人。當時東南大學的

117 顧廷龍校閱：《藝風堂友朋書劄》上，第453頁。

118 陳智超編注：《陳垣來往書信集》，第621-622頁。

119 傅振倫：《蒲梢滄桑・九十憶往》，上海，華東師範大學出版社1997年版，第58-59頁。

120 中國社會科學院近代史研究所中華民國史研究室編：《胡適的日記》，第438頁。

《學衡》公然樹旗，與北方的北大派分庭抗禮，形成所謂「南高學派」，成為南方學術的代表聲音。「學衡」派主將之一的胡先驌十餘年後總結道：

> 「當五四運動前後，北方學派方以文學革命整理國故相標榜，立言務求恢詭，抨擊不厭吹求。而南雍師生乃以繼往開來融貫中西為職志，王伯沆先生主講四書與杜詩，至教室門為之塞，而柳翼謀先生之作中國文化史，亦為世所宗仰，流風所被，成才者極眾。在歐西文哲之學，自劉伯明梅迪生吳雨僧湯錫予諸先生主講以來，歐西文化之真實精神，始為吾國士夫所辨認，知忠信篤行，不問華夷，不分今古，而宇宙間確有天不變道亦不變之至理存在，而東西聖人，具有同然焉。自《學衡》雜誌出，而學術界之視聽以正，人文主義與實驗主義分庭抗禮。五四以後江河日下之學風，至近年乃大有轉變，未始非《學衡》雜誌潛移默化之功也。」[121]

此北大學派與南雍師生，亦據居處而分別，若論籍貫，則多為南方人士。

由此可見，無論言中學還是西學，這時北方為新而較空，南方則舊而較實。蔡元培稱尚屬幼稚，胡適一派也說不曾組織完備、癥結最深、最不滿人意的東南大學文哲兩系關於東方者[122]，請梁啟超來講國學，任教於此的顧實、吳梅、柳詒徵等卻在梁出席該校國學研究會時

---

121 《樸學之精神》，《國風》第8卷第1期，1936年10月1日。

122 1924年4月13日、15日陳衡哲、任鴻雋致胡適，中國社會科學院近代史研究所民國史組編：《胡適來往書信集》上冊，第247-248頁。陳衡哲甚至說「東大國文系之糟為全校之冠」。

屢與衝突。顧實還譏諷梁摸不到《道德經》的邊，「他講的不是老子，而是『咱老子』！」[123]國學運動中，東南大學、廈門大學、中山大學等校的國文系和無錫國學專修學校以及南方的幾個國學研究會彼此溝通聲氣，互為聲援，共同對抗北大派，這種矛盾還延伸到由北大派生的廈門大學國學院和中山大學文史學科。有趣的是，先此黃炎培、蔣夢麟等人曾一度打算將南京大學辦成新派大本營，而將北大讓給舊派講老話。[124]

南北學既有對壘，也有對流。南方的一些學者北上，在北大以外形成據點，清華國學研究院某種程度上可以說是南學北上的會合。胡適雖然在該院籌建時參與意見，但吳宓做主任負責具體事務，其精神必然與北大派相反。由於幾位導師或名高望重，或真才實學，胡適還算佩服或禮敬，對較為次要者則不大客氣。他罵《大公報・文學》副刊「是『學衡』一班人的餘孽，其實不成個東西。」[125]實際上參與其事者除吳宓、張蔭麟外，均與《學衡》無緣。倒是趙萬里、浦江清兩位助手的東主王國維和陳寅恪，過去可算是《學衡》的同路人。

與此同時，一些北大派成員為避難或謀生，相繼南下，先在廈門大學組織國學院，夭折後再赴廣州。近代閩南盛產詩人和翻譯家，學術則雖有陳衍號稱大家，「博聞強記，自經史子集以逮小學金石目錄，山經地志，靡所不賅貫」，仍以詩文見長，「與陳散原、鄭海藏一時爭雄」，[126]且整體尚不足觀。而嶺南雖出學者，令陳寅恪歎為將來恐只有南學，廣東卻並非宜於治學的居處。激進而好弄新文學的浙人

123 黃伯易：《憶東南大學講學時期的梁啟超》，《文史資料選輯》第94輯，北京，文史資料出版社1984年版。

124 中國社會科學院近代史研究所民國史組編：《胡適來往書信選》上冊，第47-48頁。

125 《胡適日記》手稿本，1933年12月30日。

126 錢基博：《陳石遺先生八十壽序》，《國專月刊》第1卷第1號，1935年3月。

魯迅的印象是：「廣東報紙所講的文學，都是舊的，新的很少，也可以證明廣東社會沒有受革命影響；沒有對新的謳歌，也沒有對舊的輓歌，廣東仍然是十年前底廣東。」[127]傅斯年等人在時，一度表面似有新氣象，真相卻是「廣州的不能研究學問乃是極明顯的」，因為「書籍不夠參考，商量學問又無其人」。[128]於是南下的學者很快又紛紛北上。任教於北大卻對北大派不無異詞的黃節，[129]一度出任廣東教育廳長，不久也掛冠而去，重理舊業。最後連粵籍小生容肇祖也不堪忍受，致函鄉前輩陳垣，抱怨廣東「學校經費，又值困難，教授人才，又多偏於詞章，而學生風氣又安於陋簡而不求深造」；「南中參考書難得，每有好題目，以參考書不足故輒廢然而止」；加之提倡讀經復古，「故此現在廣州之學風，由質樸而轉空疏，由思想自由而轉拘守，由馳騖新學而轉高頭講章。先生等提倡樸學於外，而故鄉竟顛倒其學於內」。[130]

浙學成為清末學術中心，因其無論就籍貫還是居處而言均已形成風氣。而廣東自1920年代爭取日本退還庚款時就提出：「廣州與北京、上海，同為吾國南北中三部之中心，地位之重要既屬相等，關於

127 《革命時代的文學》，《魯迅全集》第3卷，北京，人民文學出版社1989年版，第421頁。1920年8月陳公博告訴胡適：「廣東的空氣，充滿嫖賭及勢力發財的空氣，簡直與新文化絕不相容」（中國社會——科學院近代史研究所民國史組編：《胡適來往書信選》上冊，第108頁）。

128 1929年8月20日顧頡剛致胡適，中國社會科學院近代史研究所民國史組編：《胡適來往書信選》上冊，第536頁。

129 黃節與吳宓及思辨社人關係密切，其高足李滄萍曾受王國維指導，又是張爾田及門，畢業後任教於中山大學國文系，1935年被古直等列名於要求懲治胡適的通電。後李聲明更正，但古直說因為他「同其慷慨」才被「分之以義」（胡適：《南遊雜憶》，楊犁編：《胡適文萃》，北京，作家出版社1991年版，第643-644頁），或亦屬實。

130 陳智超編注：《陳垣來往書信集》，第269-272頁。

此項文化事業之設施，廣州與上海、北京自應同等參與，與同時實現，此固為無疑義之見解」，希望日本當局瞭解廣州在中國之地位，在廣州設應用科學研究所及建廣東大學圖書館。[131]但這多少出於政治與地理考慮，而非人文環境的成熟。而且不顧基礎一味講求應用的短見根本違背學術規律，注定會底氣不足。此後廣東屢有力圖證明自己為華夏文化正宗嫡傳之舉，卻始終成效不大，嶺南雖出學者卻不養學問，粵籍學人往往只能做北學的幹將。

粵風重商，好急功近利，本不宜於非功利的學問。早年李文田以名士自認，「粵人闊老中少有學問者，師（即李文田）氣焰大，往往失歡。」而其視學京畿，卻令「北學可以大振」。[132]晚清嶺南學術聲名鵲起，又由於阮元、張之洞等封疆大吏的提倡鼓吹。對於高位者執學界之牛耳，鄧實等人早有定論，言宋學則「偽名道學，以諛媚時君」，言漢學則「著述雖豐，或假手於食客。是故清學而有此巨蠹之蟊賊，而清學亦衰矣。」[133]此言不免偏激，但學術在野則盛，在朝則衰，確是通例。學海堂之於廣東，開風氣之功固不可沒，陳垣等人，多少得到學海堂弟子的提攜影響，但民國時北學中的粵人，均非其嫡傳。[134]而粵學的正宗，在全國反而淪落為旁支。南學之於嶺南只能言籍貫而不能講居處，原因至為繁複，要言之，傳承稀則禁錮鮮，有助

131 《廣州各界對日退賠款用途宣言》，《民國日報》（上海）1924年5月19日。北京大學也認為如設第三研究所，應在廣州（《北京大學對於日本以庚子賠款在中國舉辦學術事業意見書》，《北京大學日刊》第1455號，1924年4月26日）。

132 吳士鑒來函之6、汪大燮來函之25，《汪康年師友書劄》（一），上海古籍出版社1986年版，第284、654頁。

133 鄧實：《國學通論》，《國粹學報》第1年第3期，1905年5月。

134 陳垣早年寫作小品，為學海堂出身的汪兆庸所見，「以為必傳。當時受寵若驚，不審何以見獎至此。然因此受暗示不少。三十年來孜孜不倦，未始非老人鼓舞之效也。」（陳智超編注：《陳垣來往書信集》，第445頁）。陳受頤雖然是陳澧的曾孫，學術成就卻並非基於家學淵源。

於博採眾長，以樹新風。浙學代興，亦由於此。而學問之道，雍容乃大，非超越功利的無為之為不能奏功。若以急功近利和討生活的商業市井眼光衡量要求，或如暴發戶弄古玩似的裝潢門面，投入與產出自然不成比例。

1933年的京派與海派之爭，再度將學分南北的問題擺上桌面。揚京抑海的沈從文和為海派辯護的杜衡，本來只是從文學創作的角度立論，後來參戰人多，內容也擴大到學術整體。分別的標準，仍是居處的文陋而非籍貫的都鄙，看法卻與1920年代截然相反。「所謂『京派』大概可以說是抱著為學術而學術的態度，所謂『海派』大概不免多少為名利而撰作。」[135]魯迅雖然深刻揭示「不過『京派』是官的幫閒，『海派』則是商的幫忙而已。但從官得食者其情狀隱，對外尚能傲然，從商得食者其情狀顯，到處難於掩飾，於是忘其所以者，遂據以有清濁之分」，畢竟對京派寄予希望，因為「北平究竟還有古物，且有古書，且有古都的人民。在北平的學者文人們，又大抵有著講師或教授的本業，論理，研究或創作的環境，實在是比『海派』來得優越的」，「希望著能夠看見學術上，或者文藝上的大著作」。[136]並進而指出南北人互取對方的機靈與厚重之長，而去其愚與狡的弊端，為「中國人的一種小小的自新之路」[137]。其實，10年間南北學風的逆轉，很大程度上便是南人北上的結果。

關於京海之爭，後來的評論多少離開了當時的語境，摻入主觀臆測。未歷其境者的附會可謂不著邊際，而當事人的曲解就不免別有用心。蔣夢麟批評海派崇拜權勢，講究表面，在文學藝術和生活各方面膚淺庸俗，而讚揚京派崇尚深刻，力求完美，但有意無意間稱「北大

135 《論學術的空氣》，朱喬森編：《朱自清全集》第4卷，第490-495頁。

136 《『京派』與『海派』》，《魯迅全集》第5卷，第432-433頁。

137 《北人與南人》，《魯迅全集》第5卷，第435-436頁。

不僅是原有文化的中心，而且是現代知識的源泉」，似乎北大成了彙集北京的各方學者、藝術家、音樂家、作家和科學家所組成的「京派」的代表，「科學教學和學術研究的水準提高了。對中國歷史和文學的研究也在認真進行。教授們有充裕的時間從事研究，同時誘導學生集中精力追求學問，一度曾是革命活動和學生運動漩渦的北大，已經逐漸轉變為學術中心了。」[138]這多少有些自我表功，顯示其把握北大之舵時，能夠繼承蔡元培的方針事業。

事實上，時任北大文學院長的胡適正想方設法打破浙人的壟斷，調整人事，並學習傅斯年辦史語所的成功經驗，以圖扭轉北大文史學科的被動局面。[139]而北大文史學科的人才培養，似乎也落在清華和燕京之後。清華和燕京兩校以學生為主的歷史學會，當時十分活躍，北大學生因而有相形見絀之感。史學系學生鄧廣銘等人試圖「以北大再來一次活躍的史學運動」，以改變「我們的北大，在新文化運動之後日在趨於消沉，甚至被人譏為『行將就木』」的面貌。[140]所以牟潤孫說：「直到胡適作了北大文學院院長，國文、歷史兩系才有改革進步。」[141]經此一役，浙人把持的積弊基本掃除，但要使北大成為全國學術中心，至少文史學科還有待努力。其史學系成績最好的時期，便

138 蔣夢麟：《西潮》，遼寧教育出版社1997年，第166、184頁。

139 1934年4月28日傅斯年來函，《胡適年譜》，第219-220頁；《胡適日記》手稿本，1935年5月4日。1931年9月14日胡適在日記中所說：「今日必須承認我們不『大』，方可有救。」既指中國，更指北大。

140 中國社會科學院近代史研究所民國史組編：《胡適來往書信選》中冊，北京，中華書局1979年版，第214頁。

141 《發展學術與延攬人才》，牟潤孫：《海遺雜著》，第85頁。魯迅指這時的北大墮落為「五四失精神」，「時代在前面」，主要指浙、胡兩派在官僚化方面合流（1933年12月27日致臺靜農，《魯迅全集》第12卷，第309頁）。北大理科也吸收了南方各校的優秀人才。

是陳受頤當政之際。[142]

此後，隨著中央研究院的南遷以及北京舊書肆在滬、寧開設分店，南北學風又有對流。而抗日戰爭的爆發，使之發生異變。戰後更有所謂新海派。南北學風的流動，仍在黃河流域與長江流域之間進行，惟有南學的局面，始終沒有出現。近代學術史上以居處而言嶺南的幾度興盛，差不多都是北人（此為閩粵人的北人概念）或北學（亦含粵人）南下所造成。其中也包括陳寅恪自己在眾人皆醉我獨醒之際所承擔的一柱擎天的作用。可惜由此帶來成為講居處的學術中心的大好機緣，都被人為坐失。梁啟超曾經詫異阮元在廣東和雲南同樣施為，而結果迥異，此番輪到粵人來自我檢討了。

142 中國社會科學院近代史研究所民國史組編：《胡適來往書信選》下冊，第104頁。

第三章
大學史學課程設置與學風轉變

1920至1930年代，在國學的名目下，以史學為重心的中國學術呈現一大變局，這一關鍵性轉折，所包含的問題極多，早已引起後世學人的注意。近年來，由於總結20世紀學術等各種機緣，有關問題再度成為學人探討的中心。[1]不過，所論主要從學術研究本身及其背景著眼，各人的見解相異處亦復不少。而當時教育制度根本改變，大學分科教學的專門化、現代化與本土化，實為影響史學轉向並造成流派分界的重要因素，前人則尚少具體論及。由此立論，可以進一步深入認識轉向的成因、變化的階段以及分歧的關鍵。

一　史家之總法

如果同意許冠三教授的論點，將在西學籠罩下近代中國的學術轉向視為科學化的進程，那麼依據王晴佳教授的看法，「所謂科學史學，可以分為兩種：一是對史料進行謹慎的批判，力求寫出所謂的『信史』，成為『客觀的』或『批判的』史學；二是對歷史的演變作

1　最近的論文，主要有王晴佳：《論二十世紀中國史學的方向性轉摺》，錢伯誠、李國章主編：《中華文史論叢》第62輯，上海古籍出版社2000年版，第1-83頁；羅志田：《「新宋學」與民初考據史學》，《近代史研究》1998年第1期；杜正勝：《無中生有的志業——傅斯年的史學革命與史語所的創立》，《中央研究院歷史語言研究所七十週年紀念文集：新學術之路》，臺北，中央研究院歷史語言研究所1998年版，第1-41頁。

一解釋，尋求一種規律性的東西。」康有為的疑古與託古，既表現了強烈的懷疑、批判精神，又提出了系統的歷史解釋，「以後中國的科學史學，正是在這兩個方面同時開展，在不同的階段互有消長、互有補充，演化成一種多姿多彩的局面。」[2]不過，兩分法是就大體而言，所指出的各種學派之間內在的繼承、演化關係，也是整體的作用，且存在於學者的理念之中，如果具體論證實際的歷史過程，則互相對立乃至排斥的傾向更為明顯。

前一路線的科學史學，最清楚的發展應是從北京大學研究所國學門到中央研究院歷史語言研究所，而且至少在宣言上有愈益趨於極端的傾向。[3]到1928年傅斯年發表《歷史語言研究所工作之旨趣》，更將此一路徑與其它流派清楚分界，其中也包括後一路線的科學史學。傅斯年宣稱：「歷史學不是著史：著史每多多少少帶點古世中世的意味，且每取倫理家的手段，作文章家的本事。」他反對疏通，貶抑推論，主張存而不補，證而不疏，認為研究者如要「發揮歷史哲學或語言泛想」，只能作為私人的事在別處進行，而不得當作研究的工作。並且聲稱：「我們不做或者反對所謂普及那一行中的工作」。因為「歷史學和語言學之發達，自然於教育上也有相當的關係，但這都不見得是什麼經國之大業不朽之盛事，只要有十幾個書院的學究肯把他們的一生消耗到這些不生利的事物上，也就足以點綴國家之崇尚學術了——這一行的學術。」[4]恰如近代歐洲一般教育中拉丁文和希臘文

2 王晴佳：《論二十世紀中國史學的方向性轉摺》，《中華文史論叢》第62輯，第5-6頁。

3 關於北京大學研究所國學門、廈門大學國學研究院、中山大學語言歷史研究所和中央研究院歷史語言研究所的聯繫及區別，參見陳以愛：《中國現代學術研究機構的興起——以北京大學研究所國學門為中心的探討（1922-1927）》；杜正勝：《無中生有的志業——傅斯年的史學革命與史語所的創立》，《中央研究院歷史語言研究所七十週年紀念文集：新學術之路》，第1-41頁。

4 《歷史語言研究所集刊》第1本第1分，1928年10月。

的退步與其學問上的進步成正比，傅斯年的意思，顯然希望中國也如此發展，物質文明和精神文明均取法於外國，史學和相關的語言學在一般教育中逐漸淡出。

就學理而言，傅斯年的宣言不無偏頗。換一角度看，史學從來不是單純的學術，至少相當多的人不將它僅僅視為學術的一個分支。因此，儘管傅斯年的偏激主張正是其取得良好實效的重要原因，並且在相當長的一段時期內成為史學主流派的旗幟，卻始終得不到普遍的認同（當然傅氏並不期待這種結果）。因為史學的其它社會功能需求均與傅斯年的主張相矛盾，總有學人自覺或不自覺地尋求另一種科學史學，即對歷史的演變進行系統的描述和解釋，從現象中揭示發展規律。這些社會功能至少包括政治和教育兩大部類，專門研究可以窄而深，政治解釋和文化傳承則必須完整系統而有條理。本來系統應來自對大量具體史實的充分研究和認識，但也有解釋框架是否適宜的問題。近代以來，中體動搖，解釋的舊說自然不能取信於人，連帶材料亦須重新整理，而社會需求不能從容等待學術界完成相關研究，面對兩難境況，有人便以外來學說條理現成材料，以期速成系統的解釋。其中大學的史學系便屬於要求最迫切的部門之一。

京師大學堂是近代中國最早設立的大學，同時也是清末唯一設有史學專門的大學。1902年的《欽定京師大學堂章程》規定大學分為七科，其中文學科之下，設有史學門目。至於具體課程，則擬待預科生畢業後再議。[5]是年頒佈的《京師大學堂編書處章程》關於史學課本確定的原則是：「以編年為主，刪除繁瑣，務存綱要」，同時擇取先哲史論附列。[6]不過，重視高等教育的張之洞在1904年進呈的《奏定大

5　璩鑫圭、唐良炎編：《中國近代教育史資料彙編．學制演變》，上海教育出版社1991年版，第236-237頁。

6　張靜廬輯注：《中國近代出版史料初編》，北京，中華書局1957年版，第207頁。

學堂章程》中，依據日本學制，為尚未籌辦的文學科大學中國史學門和萬國史學門制定了詳細科目，前者的主課有：史學研究法、御批歷代通鑒輯覽、各種紀事本末、中國歷代地理沿革、國朝事實、中國古今外交史、中國古今歷代法制考，另有補助課程：四庫史部提要、世界史、中外今地理、西國科學史、外國語文。後者的主課為：史學研究法、泰西各國史、亞洲各國史、西國外交史、年代學，補助課為：御批歷代通鑒輯覽、中國古今歷代法制史、萬國地理、外國語文。此外，還有所謂「隨意科目」，即選修課程，如辨學、各國法制史、中國文學、人類學、公益學、教育學、金石文字學、古生物學、全國人民財用學、國家財政學、法律原理學、交涉學、外國科學史（僅萬國史學門）等。

以創始的大學史學教育而論，上述課程體系相當完備而且較為合理，只是明顯有照搬外國成法的痕跡，因此在說明若干課程時，不得不以日本原名為參照，如在金石文字學後附注「日本名古文書學」等。在各種名目的科目之下，實際上並沒有相應而適宜的教科書，無論是欽定抑或奏定章程，均未涉及教科書的編寫事宜。但對各科學書講習法的略解，分別說明了各項課程所使用的教材，大體分為三類：一、就中國舊籍擇要講解，如「各種紀事本末」自《通鑒》講起，《左傳》、《紀事本末》不必講，全鑒及正史聽其自行研究；「國朝事實」摘講正續《東華錄》及《聖武記》諸書，兼酌採近人所刻《皇朝政典》講習；「中國古今歷代法制考」摘講《三通考輯要》。二、擇善翻譯、改編或使用現成譯本，如「中國古今外交史」，可採取日本《支那外交史》自行編纂改定；「中外今地理」宜擇外國成書或中國人譯本合於教法者講授；其餘各西學則擇譯善本講授。三、於已有教科書中選擇善本講習，如「歷史地理沿革略」。至於參考書，則多取歷代正史、通鑒、別史、雜史、西史、輿圖、年表等。

值得注意的是對「中國史學研究法」的解釋，雖然主旨在於「鑒古知今有裨實用」，與通鑒學相近，所列舉的「研究史學之要義」，顯然已經不是傳統史學所能範圍。其研究對象包括歷代疆域、各項制度、政事變法、教育學術、地方民情、農業工藝、商業交通、賦稅財政、物價物產、吏治刑法、宗教禮俗、中外關係、貨幣及度量衡等51個方面，尤其注意人民與國家的關係如民情、民風、民性、民力的影響，提倡將通鑒學與正史學「相資補助」，考史事則考治亂與考法制「必宜兼綜」，強調中外參考比較，貫通古今，「務當於今日中國實事有關係之處加意考求」。[7]

京師大學堂文科史學門一直沒有開辦，上述設想也就始終停留在紙面。不過，已經開辦的師範科也設有中外史學課程，先後擔任過史學教習的有馮巽占、李稷勳、汪鎬基和日本人阪本健一等，所用教材係由任課教習自編講義，史學科、中國史、中國通史、萬國史講義分別由屠寄、陳黻宸、王舟瑤和服部宇之吉撰述。[8]陳黻宸所編《中國史講義》，開章明義，指出「史者天下之公史，而非一人一家之私史也。」進而強調史學與科學的關係，認為：「科學不興，我國文明必無增進之一日。而欲興科學，必自首重史學始。」因為史學為「凡事凡理之所從出也」，「史學者，合一切科學而自為一科者也。無史學則一切科學不能成，無一切科學則史學亦不能立。故無辨析科學之識解者，不足與言史學，無振厲科學之能力者，尤不足與興史學。」「讀

7 《奏定大學堂章程》，璩鑫圭、唐良炎編：《中國近代教育史資料彙編·學制演變》，第349-353頁。

8 莊吉發：《清末京師大學堂的沿革》，《大陸》第41卷第2期，第62-64頁。轉引自朱有瓛主編：《中國近代學制史料》第2輯上冊，上海，華東師範大學出版社1987年版，第943頁。此文所論，並非京師大學堂文科史學門的情況。另據《教育雜誌》1910年第4期《宣統二年分科大學經文兩科教職員清單》，史科教習有專講記事本末的陳衍，專講通鑒輯覽的饒叔先。

史而兼及法律學、教育學、心理學、倫理學、物理學、輿地學、兵政學、財政學、術數學、農工商學者，史家之分法也；讀史而首重政治學、社會學者，史家之總法也。」

陳黻宸的這番道理蘊涵了許多解釋後來糾紛的線索，其所謂「科學」，實際包含學科與科學兩種概念，20世紀上半葉中國學術的重心之所以由經入史，要因之一，是西學衝擊下中體的崩潰，要因之二，便是史學合一切科學而自為一科的特徵。這一思想，從史學在教育體系中獨立之日起，就已經為先賢所確信無疑，後來更為科學史學的信仰者反覆強調，傅斯年就斷言：「現代的歷史學研究，已經成了一個各種科學的方法之彙集。地質，地理，考古，生物，氣象，天文等學，無一不供給研究歷史問題之工具。」[9]

不過，仔細甄別，聚集於「科學史學」旗幟下的兩派，雖然都強調各種自然、社會、人文相關學科對於史學研究的重要性，但所指的對象其實有所分別，批判的客觀史學重視考古學、地理學、生物學、語言學等自然科學或接近自然科學的人文學科，而解釋規律者則對政治學、經濟學、社會學等所謂社會科學情有獨鍾。這與當時歐洲史學正由語文學方法向社會科學方法轉移大有關係。一般而言，前者主要有助於分析擴展史料，後者則便於解釋問題，以教學為主的學人自然傾向於接受社會科學，或者說首先是接受社會科學的解釋框架以應急。陳黻宸以政治學、社會學為「首重」、為「尤要」、為「史家之總法」，正是因為這兩門科學對於認識人類社會的歷史有明因果，辨成敗的提綱挈領作用。所以雖然史學是凡事凡理所從出，一旦掌握了政治社會之原理，「於史學思過半矣」。

陳黻宸的中國史講義，是接著屠寄、楊模的課續講，屠、楊二人

9 《歷史語言研究所工作之旨趣》，《歷史語言研究所集刊》第1本第1分，1928年10月。

所講，「自開闢始，迄於春秋」，陳則由春秋講起。但他的講義更像是概論，「讀史總論」、「政治之原理」、「社會之原理」佔了三分之一的篇幅，正文則只講了孔子和老墨。比照看來，前三節的理念似乎並未在正文中得到體現，這種史論分離的現象，表明「總論」和「原理」的那一番道理，很可能是其現炒現賣的趨時附會，並沒有真正用於研究具體歷史問題的過程。[10]

二　議論與講學

民國成立後，按照1913年教育部公佈的大學規程，文科下設歷史學門，再分中國史及東洋史學、西洋史學兩類，其課程為史學研究法、中國史、塞外民族史、東方各國史、南洋各島史、西洋史概論、歷史地理學、考古學、年代學、經濟史、法制史、外交史、宗教史、美術史、人類及人種學、西洋各國史、中國史概論等。[11]但是北京大學在相當長的時期內並未開辦歷史學門，只是在預科及文學門的言語學類開設史學課程。

兼任（隨即改哲學系專任）該校文科史學教授的陳黻宸，於1913年寫成了《中國通史》20卷，分朝代依次敘述自春秋至清代的歷史。陳氏繼編輯京師大學堂中國史講義後，曾在任廣東方言學堂史學教習時，借鑒夏曾佑《最新中學中國歷史教科書》編輯歷史講義。[12]其《中國通史》很可能被用作北京大學的教學，至少是參考書。夏氏的教科書本來是為中學而編，但後來多次再版，不少大學教師和研究者頗有好評，其分章節的編排體例一改中國傳統史學著作的舊貌，很長

10　《京師大學堂中國史講義》，陳德溥編：《陳黻宸集》下冊，第675-713頁。

11　《教育雜誌》第5卷第1號，1913年4月。

12　《致孟聰侄書第十七》，《陳黻宸集》下冊，第1125頁。

時期內無人可以超越，1933年更被商務印書館列入大學叢書。1935年陳寅恪授課時評論當時坊間教科書，雖然認為夏著已經過時，但仍為「最好」的一本，「作者以公羊今文家的眼光評論歷史，有獨特見解。」[13]

夏曾佑的教科書自成系統，便於講述，但其中牽強附會，甚至削足適履處也不在少數。如果用作大學歷史系的講義，問題便無處不在。除了史料處理的當否外，簡單進化論的解釋框架也不能令接受西學日益豐富的民國學人和學生感到滿意。1917年蔡元培接掌北京大學，於暑期後改革學制，文科增設史學門。[14]其課程設置為：中國通史（陳漢章）、地理沿革史（張相文）、東洋通史（錢碩人）、法制史（陳漢章）、學術史（葉瀚），另有特別講演中國史學通義（黃節）、人地學（鐸爾孟）、《史記》探源（崔適）。[15]相比之下，似較京師大學堂時期的章程規定還有退步，尤其是輔助學科的課程，除地學外，幾付闕如。陳漢章的中國哲學史據說是一年下來只講到「洪範」的，講中國通史大概也如出一轍。

註冊在國文門但喜歡到其它門聽課的傅斯年，那時尚未立志「要科學的東方學之正統在中國」，受新思潮的鼓動，對社會科學尚不排斥，他寫了《中國歷史分期之研究》的長文，針對中國學人寫作史學教科書者多模仿日本桑原騭藏《東洋史要》（後改名《支那史要》）的分期，而後者實以遠東歷史為依據，並不適宜中國的情形，重新確立分期標準，同時指出史學「要以分期為基本，置分期於不言，則史事雜陳，樊然淆亂，無術以得其簡約，疏其世代，不得謂為歷史學

---

13 蔣天樞：《陳寅恪先生編年事輯》（增訂本），上海古籍出版社1997年版，第94頁。

14 蔡元培：《大學改制之事實及理由》，《新青年》第3卷第6號，1917年8月1日。

15 《文本科第三學期課程表・中國史學門第一年級》，《北京大學日刊》第109號，1918年4月12日。

也。」他認為歷史「以政治變遷，社會遞嬗為主體」，「尋其因果，考其年世，即其時日之推移，審其升沉之概要，為歷史之學。」[16]這與他後來治史的路徑分別不小，並多少含有批評北大史學課程的意思了。

北大史學課程的狀況並不符合先期設定，因此不能全面反映主辦者的主觀認識。依據1917年的《北京大學文、理、法科本、預科改定課程一覽》，史學門課程分為通科與專科兩類，前者包括歷史學原理、中國通史、東洋通史、西洋通史、人種學及人類學、社會學、外國語，後者包括中國地理沿革、西洋地理沿革、年代學、考古學、中國文明史、中國法制史（法理學及西洋法制史）、中國經濟史（經濟學）、歐美各國史、亞洲各國史、歐美文明史、歐美政治史，歐美殖民史、中亞細亞地理及歷史。特別講演則分為三種，一、以時代為範圍，如上古、三代、兩漢、南北朝、遼金元、法國革命、歐洲十九世紀等。二、以一書為範圍，如《尚書》、《春秋》、《史記》、《漢書》、《通志》、海羅多之《希臘史》、泰奇都之《羅馬史》、基左之《法國文明史》、蘭克之《德國史》、《英國史》、《法國史》等。三、以事件為範圍，如中國人種及社會之研究、苗族之考證、中國古代文明與巴比倫文明之比較、墨西哥交通中國之證據等[17]。由此看來，辦學者的主觀認識不但沒有退化，反而有所前進，只是限於條件，難以落實。因此理念與實際之間的差距不免過大。

北大史學門事屬初創，對課程不滿似乎不是普遍現象。1918年5月，教育部視學劉以鍾陪同日本東京高等師範學校教授、漢學專家林泰輔博士和同校教諭諸橋轍次到北大參觀，希望旁聽文科教員講授古學，蔡元培親自導往聽講崔適的「《史記》探源」和黃節的「中國史

---

16 《北京大學日刊》第113號，1918年4月17日。

17 潘懋元、劉海峰編：《中國近代教育史資料彙編．高等教育》，上海教育出版社1993年版，第384頁。

學通義」，並與座談。[18]但在五四運動和太炎門生取代桐城古文家掌管北大文科之後，史學系的現狀就似乎令人難以容忍。1920年擔任系主任的朱希祖，看了德國Lamprecht的《近代歷史學》，認定歷史進程的原動力在全體社會，「所以研究歷史，應當以社會科學為基本科學。」反觀中國的史學界，「實在是陳腐極了，沒有一番破壞，斷然不能建設」，於是一面讓何炳松翻譯魯賓孫（Robinson）的《新史學》，以摧陷擴清史學界陳腐不堪的地方，一面在本係將課程大加更改，本科一二年級先學習社會科學，作為基礎，如政治學、經濟學、法律學、社會學等，再輔以生物學、人類學及人種學、古物學，特別注重社會心理學。同時請何炳松擔任歷史研究法課程，即以魯賓孫的《新史學》為課本。此書何氏曾在北京大學和北京高師用作講西洋史學原理的教本，據說修課的同學「統以這本書為『得未曾有』」，現在改換題目，依然頗受歡迎。[19]

朱希祖發起的史學課程改革，其實只是將清末以來條文所載的規劃落到實處，在思維的方式和方向上與前此一脈相承。當然，時間畢竟有近二十年的差距，譯書數量增加，留學程度提高，對社會科學的認識更加清晰化。1922年北大成立史學會，朱希祖進一步闡明其改革課程的目的。他認為，研究史學最初注重歷史文學，其後注重歷史哲學，最近則注重歷史科學，「歷史科學是以社會科學為基礎的」，社會科學包括地理、生物、人類、政治、經濟、法律、宗教、倫理，「而尤以社會學及社會心理學為最重要。我們懂了社會科學，然後研究歷史，方有下手之處，否則歷史中種種材料，那一種是重要，那一種是不重要，就沒有標準了。我們北京大學史學系的課程，就是依據以上

18 《日本學者來校參觀》，《北京大學日刊》第127號，1918年5月3日。

19 朱希祖：《新史學序》、何炳松：《譯者導言》，均見劉寅生、房鑫亮編：《何炳松文集》第3卷，北京，商務印書館1996年版，第3-22頁。

所說目的和方法定的。」[20]

朱希祖的這一套理念，完全是受提倡綜合史觀的新史學的影響。當時所謂綜合史觀，即Lamprecht主張的「史為社會心理的科學」，「以為史事演進之狀態，斷非一單獨原因所能解釋，必也就其時之群體心理中求其解，方能說明某時代之史蹟。此種社會的心理，雖受各方面之影響（如地理、經濟、政治），但既匯融眾源，發之於事，則史事演進之主原，自在群心。」[21]按照朱希祖的理解，美國的魯賓孫主張歷史的時間連貫性，而德國的Lamprecht和Mehlis主張空間的普遍性，二者殊途同歸，均歸於社會科學，將美國和德國的學說兼收並蓄，即可達到史學完善的目的。

同時在北大史學會成立會上發表演說的楊棟林，更清楚指出了提倡新史學所針對的現象：其一，社會科學化，是對中國舊史家「以詞章治歷史」和新進學人「就歷史中求史學研究」而言，不懂相關科學，就編不了相關專史。其二，社會學化，是針對「唯物史觀」和「唯心史觀」而言，兩派或重個人，或重社會一方面的一種特別狀態，未先就社會全體通盤觀察。其三，地方權化，針對偏重政治及其中樞——中央政府而言，既然注重社會事情，應以州縣為單位。其四，數學化與平凡化，針對「大事記派」和「瑣碎派」或「好奇派」而言，數學化即統計化，用以歸納凡人小事。[22]

朱希祖的改革，雖然順應國際學術界社會科學的趨向，卻使得史學的特色有所損失，有人懷疑其所定課程中外都有，太不專門，不過

---

20 《朱遏先教授在北大史學會成立會的演說》（趙仲濱速記），《北京大學日刊》第1116號，1922年11月24日。

21 陳訓慈：《史學蠡測》，《史地學報》第3卷第1期，1924年6月。

22 《楊棟林教授在本校史學會成立會的演說》（秦志任筆記），《北京大學日刊》第119號，1922年11月28日。

是高等普通的歷史罷了，「再加以種種社會科學，分了一半，所得歷史智識，有限得很。」朱希祖辯解道：要謀合時間的連續與空間的普遍，只能如此設置課程。至於要謀專門精深的研究，則學校方面，有大學院或研究所，在學生方面，須靠史學會。這樣一來，其心目中的史學研究，其實是兩分的，「把普遍的連續的和社會科學的重要共同方法，託付在講堂上講。至於分工的研究，……那就要靠諸君所組織的史學會了。講堂上所講的，是共通的方法多，諸君自動的研究，是一種實地的試驗。」後者不可隨便說空話，必須切實多讀書，研究結果，確有心得，才有發表價值。所以要「一方面研究整個的史學，一方面試驗分析的史學，並行不悖」，在收集一代史料的基礎上，用最新的史學方法，組織一部很有條理系統的新歷史。[23]此舉目的原在於改造舊史學，結果卻僅僅改變公開課程，而將本科學生學習具體研究的重任交由業餘的史學會來擔負。所以在改革課程的同時，朱希祖就籌設史學會以為輔助，只是因為學生罷課等事，耽擱了兩年。

兩分法當然便於教學，但是史學系的課程不能教學生具體研究，情理上似乎說不過去。朱希祖和楊棟林異口同聲地要求學生學好外文，因為提供條理和系統的理論，無一例外的都是舶來品。這種讀西書的辦法，很難瞭解西學的全貌並且區分主次正邪。北大畢業留學歐洲的傅斯年便有親身體驗，他去國時，便已決定學心理學，北大師友則多勸其學歷史，傅氏為想解決心中蓄積的個人與社會、效率與智力等等的關係問題，堅持以學問救濟心理的疾病，所偏好在於以生物科學講心理者與心理分析學，而不喜專以自然科學之方法講心理者。

1920年8月，傅斯年曾致函胡適，抱怨在北大六年，「一誤於預科

23 《朱逷先教授在北大史學會成立會的演說》（趙仲濱速記），《北京大學日刊》第1116號，1922年11月24日。

一部，再誤於文科國文門」，看似僅僅批評舊學者，其實更主要的是指責新風氣。他告誡胡適：「為社會上計，此時北大正應有講學之風氣，而不宜止於批評之風氣」，「希望北京大學裏造成一種真研究學問的風氣」。傅在北大，受胡適影響最多，「止於批評」的學風的形成，胡適難辭其咎。所以傅斯年犯顏直諫，「興致高與思想深每每為敵「，請胡適勿為盛名所累，「期於白首……終成老師，造一種學術上之大風氣，不盼望先生現在就於中國偶像界中備一席。」[24]傅斯年這封支支節節，不能達意的「私信」的含意，在兩個月後致蔡元培的「公函」中講得更加坦率，他說：

> 「北大此刻之講學風氣，從嚴格上說去，仍是議論的風氣，而非講學的風氣。就是說，大學供給輿論者頗多，而供給學術者頗少。這並不是我不滿之詞，是望大學更進一步去。大學之精神雖振作，而科學之成就頗不厚。這樣的精〔神〕大發作之後，若沒有一種學術上的供獻接著，則其去文化增進上猶遠。」

傅斯年的覺悟，看來是到歐洲後受其文化薰陶的結果，因為「近代歐美之第一流的大學，皆植根基於科學上，其專植根基於文藝哲學者乃是中世紀之學院。」進一步講，「牛津環橋以守舊著名，其可恨處實在多。但此兩校最富於吸收最新學術之結果之能力。」「而且那裏是專講學問的，倫敦是專求致用的。劍橋學生思想徹底者很多，倫敦何嘗有此，極舊之下每有極新，獨一切彌漫的商務氣乃真無辦法。倫敦訾兩校以遊惰，是固然，然倫敦之不遊惰者，乃真機械，固社會

24 1920年8月1日《傅斯年致胡適》，中國社會科學院近代史研究所民國史組編：《胡適來往書信選》上冊，第106頁。

上之好人，然學術決不能以此而發展。」[25]「極舊之下每有極新」，確是指明了思想革新的適時與學術研究的唯是之間的差異。他雖然將北京與上海、北大與清華比附於劍橋與倫敦，實則在劍橋與北大之間，後者只能扮演倫敦的角色。而朱希祖在史學系的課程改革，雖然以學術為目的，結果很可能如胡適在哲學門的作用，仍是朝著議論的風氣，供給社會輿論者多。

三　南北異同

與北京大學的新文化派遙相對立的南高學派，在五四之後也開始改革課程。1919年9月，南京高等師範學校新任校長郭秉文提出「改良課程案」，把國文部改為國文史地部，原為國文部下的史地學科，升格為史地學系。以後又改為文史部，歷史系獨立，所開設的課程為中國文化史、朝鮮史、日本史、印度史、亞洲文化史、史學問題、大戰史、歷史教學法、中國通史等。同時因為實行選科制，歷史系學生要選修國文、西洋文學、地理、哲學等系的課程。其必修課即包括西洋哲學史、哲學入門、倫理學、地學通論、地質學、歷史地質學等[26]。

南高學派因為對北大的新文化派多有批評，歷來被新派學者視為文化保守主義的營壘。其實正如近人所指出，他們只是反對激烈地反傳統文化，提倡調和中西文化。而在引進西方文化方面，又主張溯本求源，全面系統，反對斷章取義的拿來主義。該派中留學生與老師宿儒和睦相處，相得益彰，就是其主張的最佳體現。南高學派同樣重視史學，1920年5月就成立了史地研究會，較北大還早兩年。其中在史

25 《傅斯年君致蔡校長函》，《北京大學日刊》第715號，1920年10月13日。

26 參見區志堅：《人文地理學的發展：張其昀的貢獻》，李榮安、方駿、羅天祐編：《中國自由教育：五四的啟示》，朗文（朗曼）出版有限公司2000年版。

學方面發生影響的主要有柳詒徵、徐則陵、陳訓慈、繆鳳林等。該會定期舉辦學術演講，先後演講的指導員和會員及其講題有徐則陵的「史料之收集」、「新史學」，柳詒徵的「史語史之性質與目的」，繆鳳林的「歷史與哲學」，陳訓慈的「何謂史」等，並經常邀請外校及外國學者演講。

與北大相比，南高學派提倡史學研究的態度頗有異同。其相同或相近方面，如重視外文及西書，強調以歐洲新法治中國歷史，給予中國文化以適當的歷史地位，[27]注意科學史學的潮流和社會科學化的趨向，認定史學為各種科學之匯合等，與北大精神大體一致。其相異方面，則有：

一、以史學為實學研究的重要領域，矯正新文化運動的虛浮偏頗。南高史地會的《史地學報》「編輯旨趣」稱：「近年以還，國人盛言西學，談論著述，蔚為巨觀。顧於真實之學，輒相畏避，史學地學，尤希過問。」[28]陳訓慈提出《組織中國史學會問題》，批評「近來

27 對於外國人治中國史，南北兩派評價都不甚高。朱希祖認為中國人研究外國史，還談不上，「但外國人講我們中國史，也是沒有好的。所以我們自己整理中國史，是我們中國人唯一的責任。」（《朱逷先教授在北大史學會成立會的演說》（趙仲濱速記），《北京大學日刊》第1116號，1922年11月24日）陳訓慈也認為：「中國文化在世界之地位，自為中國文化耳。而淺率西人，至有置之原始文化至西方文化之過渡，吾國迂曲學者，又自謂燦爛莫備；要皆無史學之觀念也。誠使有史學會為之中心，於古文化為忠實之研究，以發現完全避免之過去，則必可畀中國文化以正當之地位。且傳播吾國真史，使外人明瞭吾國之地位，是史學會不但有造於中國文化，且於世界文化有關也。」（《組織中國史學會問題》，《史地學報》第1卷第2號，1922年3月）

28 《編輯要則》，《史地學報》第1卷第3期，1922年5月。其旨趣稱：「同人深維史地之學，一由時間之連續，示人類之進化；一由空間之廣闊，明人類與自然界之關係。其博大繁賾，實超其它科學。而就其近者言之，則一事一物，漠不有其源流與其背景，果屏斯二者，即不足曉事物之真，更無由窺學術之全。是以各種學問，靡不有所憑於史地；而史地之可貴，亦要在出其研幾所得，供各學科只致用。此所以西洋自然科學發達，而史學地學與之偕進而無已也。」

自號新文化運動者，大都皆浮浮自信，稀為專精之研究。即其於所常談之文哲社會諸學，亦僅及其表面，而於專門學科，益無人過問；循是不變，將使名為提倡文化，而適以玷辱文化。誠有專門學會之出現，宣導社會，於真正學術有所貢獻，將使智識界空氣，由浮虛而趨於篤實。而所以說明源流，促起真實之研究者，史學會其尤要者也。」[29]

二、既注意歐美史學發展的最新動向，又講究本源，觀照全面，以免偏於一端。陳訓慈的《史學觀念之變遷及其趨勢》(《史地學報》第1卷第1號)，《史學蠡測》(第3卷第1-3期)，徐則陵的《近今西洋史學之發展》(第1卷第2號)，叔諒的《中國之史學運動與地學運動》(第2卷第3號)，王庸譯的《社會學與歷史之關係》，均力求全面觀照歐美各國史學流派的淵源脈絡，瞭解史學與地理、地質、天文、人類、人種、古物、古生物、年代、譜系、方言、文字、古文字、古文書、政治、法律、國家、社會、經濟、論理、哲學、文學等相關學科的關係，而不僅僅是一味趨時逐流。

三、認識近百年來史學發展的兩大特徵，都是受浪漫主義和實驗主義兩大思潮影響的結果。史學既有科學的一面，又有非科學的一面，史學當有條件地採用科學方法，但並非一定要科學化才能顯示其偉大。能否科學化，不是史學至關重要的問題，即使科學化，也與自然科學不同。這對於盲目遵信科學化的新文化派主張，無疑有補偏救弊的作用。

即使在擁護科學史學者的內部，實際做法也不一定走社會科學化的路線，尤其是專門研究機構。在北京大學，按照朱希祖的設想，教育體制對於學生專精研究的訓練，是由大學院或研究所負責實行。北

29 《史地學報》第1卷第2號，1922年3月。

大研究所國學門即承擔培訓史學研究者的責任。國學門的主辦者提倡或響應用科學方法整理國故，他們認為乾嘉樸學方法近於科學，只是未得到科學之輔助，「今日科學昌明之際，使取乾嘉諸老之成法而益以科學之方法，更得科學之輔助，急圖整理，則吾國固有之學術，必能由闡揚而更有所發明。」[30]其所說科學，又分為科學方法和科學門類，總體上說，不排除任何學科，實際上卻有所分別。國學門委員會第一次討論研究規則時，沈兼士雖提出打破學系觀念，但仍以文史哲三系為基本。因為研究所另設有社會科學門。國學門歡迎本校的自然科學和社會科學者到所提出題目，分別研究，[31]主要是因為要將包括自然科學在內的各種專史納入研究範圍，須有各學科的專家參與，這與社會科學化的用政治學、經濟學、社會學的理論框架解釋整個歷史或主要用這些學科的方法研究史料，歸納史實，有著極大的距離和分別。

研究不同於講授，首先要處理原始資料，而未經整理的材料存在許多問題，必須以專門方法加以鑒別考訂，這不是簡單地運用社會科學的理論框架條理解釋所能夠解決。沈兼士就批評「粹於國學之流往往未涉科學之途徑」，「而治科學者又率不習於國學」，主張派「深於國學」或「國學優良」的教授學生留學海外，以掌握科學方法，再歸而整理國故。[32]在國學門各機構中，除考古學會較強調各相關輔助學科的協作外，一般只是泛泛而談所謂科學方法。具體而言，則主要是注意國際漢學界或東方學界的人文學科的科學方法，而對於新起的社

---

30 《國立北京大學研究所整理國學計劃書》，《北京大學日刊》第720號，1920年10月19日。

31 《研究所國學門啟事》，《北京大學日刊》第963號，1922年2月21日；《研究所國學門委員會第一次會議紀事》，《北京大學日刊》第968號，1922年2月27日。

32 《國立北京大學研究所整理國學計劃書》，《北京大學日刊》第720號，1920年10月19日。

會科學方法有所保留。[33]這一趨向，在清華學校研究院國學科、籌畫中的東南大學國學院和稍後的廈門大學國學院普遍存在。而且專精的研究，與普遍的教育之間顯然存在矛盾。清華研究院為此曾引發風潮，最終完全放棄國學的普通教育。

就全國大學本科的教學而言，南高學派以及各校國學研究院（所）的主張開始似乎有些不合時宜，無論在國際還是國內，社會科學影響歷史學都是大勢所趨。至少當歐美仍然方興未艾之際，崇尚西學的國人很難不為左右。而且這一趨勢對於衝擊舊史學確有顛覆性作用，又能很快建立大體上自圓其說的新架構，填補舊的解釋系統崩潰後留下的真空。史學在中國從來不僅是學術，還是道德倫理的重要體現，因而須臾不可缺少。1920年代中期開始，中國的大學教育在量的方面出現迅猛增長，後起的大學史學系紛紛朝著社會科學化的方向發展，步伐較北京大學更加積極。清華學校1925年正式成立大學部，1926年設歷史學系，並開設專修課程。其課程體現中西並重，注重西史方法的精神，有中、西通史、歷史研究法、中國上古史、中國近世史、中國近代史、中國文化史、英、美、日、俄等國別史、歐洲近百年史、遠東及太平洋沿岸史，另有外系開設的選修課如中國哲學史、中國文學史、政治學、經濟學、社會學、本國文學、英國文學、經濟思想史等。[34]先後擔任歷史學系主任的朱希祖、羅家倫、蔣廷黻等，可以說都是革新派，因而該系課程的設置一開始就相當新進。其它公私學校歷史系的課程也紛紛改進，以順應新潮。

隨著學術研究的逐漸深入，研究與教學，本科與研究（院）所之

33 參見拙著：《國學與漢學——近代中外學界交往錄》第1章《四裔偏向與本土回應》，杭州，浙江人民出版社1999年版。

34 有關清華歷史系的情況，凡未特別注明者，均見齊家瑩編撰：《清華人文學科年譜》，北京，清華大學出版社1999年版。

間由分工而引起的分歧日顯突出。1920年代盛極一時的整理國故，使得考據方法再度流行，並且逐漸形成獨大之勢。傅斯年的史學就是史料學總其成，將急功近利的綜合史觀派打入另冊，他宣言「要科學的東方學之正統在中國」，並非泛泛而談的學習西學，而是選擇了歐洲已經成熟並佔據正統地位的語文學派的史學路徑，排斥正在興起之中的社會科學派。儘管傅斯年早年也曾從整理史料的角度重視過社會學，但那主要是指領域而非方法，其一生對於社會科學方法一直有所距離，尤其是對史觀式地運用社會科學的概念相當反感。[35]他反對疏通，不僅體現於排斥太炎門生，還反映於對待錢穆和郭沫若的態度，在他看來，後二者的成果可以接受的，僅限於具體問題的研究，而不是宏觀架構的建立。[36]

傅氏的觀念對大學史學課程的設置直接或間接有所影響，他一度在北京大學兼職兼課，幕後主政，強調先治斷代史，而不主張講通史。其時國民政府規定中國通史為必修課，北大謂「通史非急速可講，須各家治斷代史專門史稍有成績，乃可會合成通史」[37]，遂聘北平各校專家分段講授。1933年後，才由錢穆一人統之。錢雖然並不提倡社會科學化，所主張的先博通後專精，仍須一定架構，只是架構的形式及來源與社會科學派不同而已。

---

35 傅斯年：《毛子水〈國故與科學的精神〉識語》，《新潮》第1卷第5號，1919年5月1日。傅斯年的意思，是說國故在世界的社會學等學科的材料上佔有重要位置。不過後來他直截了當地斷言史學的對象不是社會學，「不以空論為學問，亦不以史觀為急圖，乃純就史料以探史實也。」（參見《史學方法導論》、《史料與史學》，均見《傅斯年全集》第4冊，臺北，聯經出版事業公司1980年版）傅斯年並非一概排斥史觀，而是反對急功近利地搬用現成的框架體系。

36 傅斯年承認錢穆著作止於《劉向歆父子年譜》，對郭沫若則重視其《兩周金文辭大系》，而不屑於《中國古代社會研究》。

37 錢穆：《八十憶雙親・師友雜憶》，北京，生活・讀書・新知三聯書店1998年版，第171頁。

到1930年代，「北平的學術界裏充滿著『非考據不足以言學術』的空氣」[38]。與此相應，各大學的史學課程日趨專門化。1931年北京大學史學系的課程比此前有明顯變化，主要表現於：一、通史斷代化，中國史分為上古、漢魏、宋史、滿洲開國史，歐洲史也分為中古和近代兩門，二、專門課的比重進一步增加，在原有基礎上，開設了中國社會政治史、中國史料目錄學、中國歷史地理、中國政治思想史、中國古代文籍文辭史、清代史學書錄、近代中歐文化接觸研究、中國雕板史、東洋建築史、西洋建築史、南洋史地、戰後國際現勢等課程。有的課程有因人設事之嫌，如王桐齡的東洋史之外，又有李宗武的日本史，即使不重複，亦不免瑣碎。清華的情況大體類此。這與「近人治史，群趨雜碎，以考覈相尚，而忽其大節」[39]的狀況有關，研究日趨窄而深，通史類課程即被視為等而下之。輔仁大學史學系的課程在1920年代末已經分成六段，陳垣甚至認為思想史、文化史之類，「頗空泛而弘廓，不成一專門學問」，「講義的教科書的」著述，「三五年間即歸消滅」。[40]

四　綜合與考據

蔣廷黻在其回憶錄中批評中國傳統史學使人們無法瞭解整個中國的歷史，只能成為斷代或專書的專家，不斷重複而不是繼續前人的研究。又舉請楊樹達教漢史的例子，指其精通前後漢書的版本及章句解釋，但教了一年後，卻不能正確扼要地講述漢代發生的大事以及政治、社會、經濟如何變化，這種重視古籍版本而忽略歷史事實的研究

---

38 《讀書雜志》第2卷第7號，1933年4月10日。

39 《致李埏書》，錢穆：《錢賓四先生全集》第53冊，第378頁。

40 1928年6月24日致蔡尚思函，陳智超編注：《陳垣來往書信集》，第355頁。

方法已經落伍，於是對舊學者敬而遠之，致力於引進新人，用政治及社會科學的觀念研究歷史，這樣一來，1929至1937年清華歷史系的課程發生了很大的改變。[41]

揆諸史實，蔣的回憶出入較大。清華歷史系從來就重視大歷史和相關學科的訓練，1931年蔣廷黻自己在《歷史學系的概況》中說：「清華歷史系，除了兼重中外史以外，還有一種特別：要學生多學外國語文及其它人文學術，如政治、經濟、哲學、文學、人類學。」蔣擔任系主任期間，該系課程有所調整，如1929年將「歷史研究法」改為「史學方法」，將中國上古、近世史改為宋遼金元等斷代史，增加中國、西洋史學史、西洋史家名著選讀、西洋近代史史料概論和考古學，最突出的是增加了若干專門史課程，如法蘭西革命史、歐洲十七八世紀史、中國外交史、高僧傳之研究、唐代西北石刻譯證、以及中國外交史和中國近百年史的專題研究。到1934年，因為開設本科與研究院共修課程，專門化趨勢進一步加強，如斷代史分為秦漢史、晉南北朝隋史、唐史、宋史、明史、清史，此外又有中國上古史、明代社會史、清史史料研究，中國學術史要分為上古至東漢、東漢至清兩門，另外有中國近三百年學術史。世界史方面也有細分化趨勢，國別史之外，還有上古近東及希臘、羅馬史、歐洲宗教改革時代史、俄國在亞洲發展史、歐洲海外發展史等。

楊樹達任教清華，是在國文系，從《積微翁回憶錄》和《清華人文學科年譜》中，找不到他在歷史系講漢史的記載。1931年底，陳寅恪曾勸其在歷史系兼課「以避國文系糾紛」[42]，似也沒有下文。誠然，課程的名稱與實際的教法之間難免存在差距，蔣廷黻在清華確有

---

41 《蔣廷黻回憶錄》，臺北，傳記文學出版社1984年版，第124-125頁。

42 楊樹達：《積微翁回憶錄》，第59頁。

改革，只是所針對者並非楊樹達，而是陳寅恪。蔣廷黻擔任清華歷史系主任的那一年，陳寅恪也被中文、歷史兩系合聘為教授，陳在歷史系開設的課程，如高僧傳之研究、唐代西北石刻譯證，在蔣看來大概都屬於治史書不治歷史的範疇。1934年，代理文學院長的蔣廷黻在所寫《歷史系近三年概況》中，對陳寅恪所開課程有如下的評述：

> 「國史高級課程中，以陳寅恪教授所擔任者最重要。三年以前，陳教授在本系所授課程多向極專門者，如蒙古史料、唐代西北石刻等，因學生程度不足，頗難引進，近年繼續更改，現分二級，第一級有晉南北朝及隋唐史，第二級有晉南北朝史專題研究及隋唐史專門研究。第一級之二門系普通斷代史性質，以整個一個時代為對象；第二級之二門系Seminar性質，以圖引導學生用新史料或新方法來修改或補充舊史。」[43]

蔣廷黻所提倡名為考據與綜合併重，實則偏向於為綜合史學鳴鑼開道。1932年，他請好講文化形態史觀的雷海宗回校任教，而陳寅恪「對雷海宗式的國史初步綜合的容忍度是很低的」，為此蔣廷黻不得不一再公開捧陳，以換取兩派間的武裝和平。[44]其實陳並不否認綜合，也同意在情非得已的情況下使用外來理論間架，他後來推薦雷海宗主編三卷本的英文《中國通史》，表明作為應急，還能接受雷的史觀。陳寅恪治學的辦法和成就，得到新舊各方的贊許，蔣廷黻不便公開作對，只好拉出和陳關係密切的楊樹達作為箭垛。

---

43 劉桂生、歐陽軍喜：《陳寅恪先生編年事輯補》，王永興編：《紀念陳寅恪先生百年誕辰學術論文集》，南昌，江西教育出版社1994年版，第436頁。

44 忻平：《治史須重考據，科學人文並重——南加尼弗裏亞洲何炳棣教授訪問記》，《史學理論研究》1997年第1期。

隨著北京地區大學數量的激增，各校教師兼課的情況相當普遍，使得不同學校相關學科的課程設置逐漸趨同。1929年至1930年度北京大學開設的課程有中國通史、西洋通史、東洋史、中國上古史、魏晉南北朝史、清史（朱希祖）、清史（鴉片戰爭及太平天國，羅家倫）、清史（外交）、南北朝高僧傳、西藏史、中西交通史、英國史、史學方法論、史學史（西洋）、史籍名著評論、歷史專書選讀（中國）、歷史專書選讀（西洋）、金石學、考古學、地理學（人文）、地圖學、地史學、人類學及人種學、中國美術史，另有外系課程如社會學、政治學、經濟學原理、外交史、宗教史、政治思想史、經濟學史、中國文學史、西洋文學史、中國哲學史、西洋哲學史、文字學、言語學。[45]

不僅課程名稱與清華大體相似，就連任課教師也往往是同一人，如鄧之誠的中國通史，王桐齡的東洋史，劉崇鋐的英國史，孔繁霱的西洋史學史，朱希祖的中國史學史，羅家倫的中國近百年史專題研究，蔣廷黻的清代外交史，張星烺的中西交通史，陳寅恪的南北朝高僧傳，陸懋德的中國上古史，原田淑人的考古學等，兩校同時開設。有的雖然任課教師不同，課程名稱和內容卻幾乎一致，如北大的中國、西洋歷史專書選讀，清華叫作史家名著選讀，也是分開中國和西洋。北大有傅斯年講授的史學方法論，清華則有孔繁霱講授的史學方法，北大的史籍名著評論，清華叫做史學名著選讀。不僅專業課如此，相關學科的輔助課程也大同小異。蔣廷黻所謂「惟一無二」的特色，其實不過是當時的潮流時勢而已。

考據方法在文史學界一枝獨秀的局面令其它各派日益不滿。章太炎、張爾田、錢穆、張蔭麟、蕭一山等人從研究的專精與博通的角度提出嚴厲批評，史觀派立足教學，也發出反對呼聲。1936年10月，雷

45 《北京大學日刊》第2237號，1929年9月23日。

海宗在《獨立評論》第224號發表《對於大學歷史課程的一點意見》，聲稱歷史系畢業生反映，經過大學四年的學習，對史學並沒有得到一個清楚的認識，原因之一，在於課程的分配與組織。他列表比較美國與中國幾個重要大學的西洋史課程，認為中國的辦法不合理，「極需徹底的改革」。其精神是加強通史，減少國別史，停止專題史。他特別強調：「歷史系本科的目的是要給學生基本的知識，叫他們明瞭歷史是怎麼一回事，叫他們將來到中學教書時能教得出來，叫他們將來要入研究院或獨自作高深的研究時，能預先對史學園地的路線大略清楚，不致只認識一兩條偏僻的小徑。」雖然他以西洋史為例，所針對的顯然也包括中國史，他本人在清華擔任的課程即主要是中國通史。

不過，「以考訂破壞為學，而譏博約者為粗疏」[46]的現象，主要存在於研究者之中，另一普遍偏象，即所謂「空言史觀，遊談無根」[47]。1920年代的社會性質論戰，介入的學人大都並非以史學為專門，影響卻極為深遠廣泛，尤其在青年學生中間，幾乎成了一面倒之勢。到1930年代初：

> 「五四以後的文學和史學名家至此已成為主流。但在學生群眾的中間，卻有一種興趣，要辯論一個問題，一個京朝派文學和史學的名家不願出口甚至不願入耳的問題，這就是『中國社會是什麼社會？』」[48]

早期的社會史觀當然不免公式化，但是造成學生普遍關注這類問

---

46 蕭一山：《為〈清代通史〉批評事再致吳宓君書——並答陳恭祿君》，《國風》第4卷第11期，1934年6月。

47 《致李埏書》，錢穆：《錢賓四先生全集》第53冊，第378頁。

48 陶希聖：《潮流與點滴》，臺北，傳記文學出版社1979年版，第129頁。

題的原因之一，顯然是大學本科教育的社會科學化。在泛社會科學化的解釋系統與歷史本身的異樣之間，講授的教師固然有所分別，除少數專講史觀史論者外，具體研究問題時往往還是以考據為主或為先。提倡社會科學的朱希祖就認為要研究一代的歷史，須將這一代的一切著作品都搜集起來，考出一代的真相，然後應用最新的史學方法，組織一部很有條理系統的新歷史。[49]而剛剛入門的學生則容易進一步放大先生在課堂上講述的觀點，在理論間架與史實的不吻合處，首先去修補或改換間架，而不是研究史實。其極端者甚至認為史學理論自成系統，只是為瞭解釋社會規律，而不是研究歷史事實。

歷史本來是統一整體，因自身存在矛盾，作用於人們的思想，遂出現不同的研究和認識，形成不同的學派。史學雖然是中國學術歷來的強項，但近代在中體動搖之下，解釋系統不得不隨西學的壓倒優勢而改變。而西學這一併非歐美固有的概念（其實是東亞人對西方思想學術文化的籠統認識），包含各種差異極大的歧見。國人各取一端，復因各人對西學認識的深淺而有高下之分。本世紀前半葉，社會科學侵入史學已成大勢所趨，但所使用的理論、方法及所取得的成果，還不能得到普遍公認。加上國際漢學界語文學派佔據優勢，對中國發生直接影響，中國學術界普遍存在與之爭勝的迫切心情，所謂「史料學派」自然成為主流。而伴隨著教學與社會需求而生的社會科學化史觀，多少缺乏具體研究的支撐，只是新式教育體系的急速擴展，使得史學急於重新條理系統以便教學，社會科學化剛好提供了對應的體系。受此影響，中國史學界長期學派分立，窄而偏與泛而淺，一直困擾著有心治史的學人，如何既博通又專精，迄今仍然不能妥當協調。

---

49 《朱逷先教授在北大史學會成立會的演說》（趙仲濱速記），《北京大學日刊》第1116號，1922年11月24日。

第四章
五四新文化運動的國際反響
——以整理國故為中心

五四前後的新文化運動，在辛亥以後相當沉寂的中國思想界激起軒然大波，許多方面成為研究者心目中劃分傳統與現代的界碑。然而，這場對於國人而言至關重要的「文化革命」，從世界範圍來考察反應卻相對平淡，既沒有政治革命或社會風潮的轟動，更缺乏思想文化上的共鳴，以致於研究者很少將目光投向這一方面。個別觸及此事的論著又不免失之偏蔽。本來新文化運動宣導輸入新知，更新舊物，從西方引進一套近代理念，以取代傳統規範，正是西洋人士長期以來千方百計所欲達到的精神目標。但此時恰值歐戰興起，天下大亂，歐洲中心觀動搖，東方主義興起，中國人所仰慕的新知，在彼邦已成舊物。而在國人奉為革新榜樣的日本，風尚也由歐化轉而國粹。除了與中國同病相憐的韓國知識界，東西列強國內各界關注中國新文化運動的主要是漢學家和少數報導中國問題的新聞記者，而且前者的態度較後者更為積極。新文化運動的要角胡適自稱生平抱三個志願，即提倡新文學、提倡思想改革和提倡整理國故[1]，這大體也就是新文化運動的三個主要方面。海外反響基本圍繞這些方面展開。

一　日本：有信有疑

1　《胡適日記》手稿本，1930年12月6日。

首先關注中國新文化運動的，是東鄰日本。據親歷其事的橋川時雄說，日本最早介紹中國新文化運動動向的是《朝日新聞》的大西齊。[2]然而，儘管《朝日新聞》長期注意中國問題，目光主要還是集中於南北對立、軍閥紛爭、中外關係、利權歸屬等方面，至於文化運動，不僅報導極少，而且多少受到第一次世界大戰後法國積極發展對華文化交流的刺激，[3]顯得有些被動應對。其它報刊的態度更加輕慢。《讀賣新聞》發表駐上海記者所寫《金瓶梅與中國的社會狀態》，以《金瓶梅》人物影射時人，不時有與新文學相關的片斷報導。[4]

個別進步人士的態度較為積極，以吉野作造為中心的黎明會，因為與李大釗及《每周評論》的密切關係，在支持五四學生愛國運動的同時，注意到「五四」運動與新文化運動的關係。1919年6月，吉野在《新人》雜誌發表題為《關於北京大學學生風潮事件》的文章，除肯定五四運動的方向外，特別指出其背景為「兩三年來，北京大學在蔡元培統率之下，思想煥然一新，歐美之新空氣遂極濃厚。最近新發行之雜誌如《新青年》、《新潮》尤極力鼓吹新思想、新文化，倡言『文學革命』」[5]。1920年5月北京大學師生訪日團在東京大學與該校「十七日會」聯合舉辦演講會，其間東大學生田民演說《中日文化之結合》，認為「中國新文化運動與日本新文化運動實有共通之點，應結合以圖共進」[6]。吉野等人的關注重點在社會政治活動方面，由此

---

2 《學問の思い出——橋川時雄先生を圍んで》，《東方學》第35輯，1968年1月。

3 参見後藤孝夫：《辛亥革命から滿洲事變へ：大阪朝日新聞と近代中國》，東京，株式會社みすず書房1987年版。

4 《文學革命と我》，《吉川幸次郎全集》第22卷，第316頁。

5 《東方雜誌》1919年7月。

6 《晨報》1920年6月15日。有關吉野作造等人對新文化運動的態度，參見王曉秋：《「五四」時期的中日文化交流》，《近代中日關係史研究》，北京，中國社會科學出版社1997年版，第300-316頁。

顧及新文化運動的影響作用。

堂堂正正地介紹和批評中國新文化運動的發端之人，便是後來以研究中國近世戲曲史聞名於世的青木正兒。1920年，他在京都和小島祐馬、本田成之等人創刊《支那學》雜誌，於第1-3號發表長篇論文《胡適を中心に渦いてある文學革命》，這是迄今所知國際學術界最早正面報導研究中國文學革命的論文。文章劈頭就說：「中國文壇近年來革新趨勢頻頻高漲，人稱文學革命。概言之，即鼓吹白話文學。」該文詳細介紹了從1917年《新青年》發表胡適的《文學改良芻議》，到陳獨秀回應、錢玄同、劉半農附和、與「王敬軒」論戰、《新潮》繼起、小說戲劇改良的全過程，涉及文學革命的各方面。同期書評欄還刊登了青木為胡適的《嘗試集》所寫的評論。

青木一直閱讀《新青年》等雜誌，注視中國文學革命的動態，1919年大阪《大正日日新聞》發刊時，即受友人慫恿想撰文介紹中國現代文學，因該報不久停刊，未能如願。當時在日本無人對中國現代文學感興趣，青木描述自己好像「孤影孑然曠野獨行」[7]。《支那學》創刊後，青木隨即致函胡適，並寄上發刊號。以後兩人多次通信，互贈書刊。胡適在欣賞明清藝術及新詩創作等方面引青木為同調，並介紹周氏兄弟（樹人、作人）、吳虞、沈尹默等與之結識，同時託請青木代訪章學誠遺書及各種版本的《水滸傳》，由此與京都學派的領袖內藤虎次郎和狩野直喜溝通聯繫。胡適後來寫成《章實齋年譜》及《水滸傳後考》，特別感激「我的朋友」青木熱心搜求水滸材料如同自己的事。[8] 1925年青木作為文部省在外研究員來華留學，曾在北京

7　《文宛腐談・支那かぶれ》，《江南春》，東京，平凡社1972年版，第63頁。

8　《水滸傳後考》，《胡適文存》，臺北，遠東圖書公司1953年版，第570頁；《胡適文存二集》，第109-110頁。

與胡適會面，[9]對於胡適為政治運動所擾頗感遺憾，並認為其頭腦清晰學識機敏在新人中難得替代。[10]

在介紹中國的文學革命之後，青木正兒還想「繼之擬做一個思想革命的介紹文」，包括「破壞中國舊思想」和「輸入歐洲新思想」兩大方面。他從《新青年》等雜誌瞭解到吳虞「在破壞禮教迷信軍陣頭惡戰甚力」，本想特筆大書其陣容，後因自己專攻文學，思想問題別有論客，未曾動手。由於胡適的介紹，青木與吳虞建立通信聯繫，彼此投契。1921年《吳虞文錄》出版，寄贈青木，青木決意作文將其「高論介紹日本的支那學界，使他們也知道中國有這位『隻手打孔家店的老英雄』（胡適之先生說得好）吳又陵先生」[11]。不久，青木便寫了《吳虞の儒教破壞論》，刊於《支那學》第2卷第3號，他認為繼續中華民國政治革命而來的是文化革命，「其中道德思想的革命令人相當痛快。那是要努力破壞幾千年根深蒂固的儒教道德，代之以從歐洲文化輸入的合適的新道德。率先站在第一線的衝鋒陷陣者，便是吳虞與陳獨秀。」文章分析了反儒的時代背景，概述了根據西方政治學和倫理宗教學說反對孔子之道的陳獨秀的主張，尤其是詳盡介紹了依據古文獻從法制上論證儒教不適用於新社會的吳虞的觀點，並且指出吳虞傾向老莊之道在破壞舊道德的新人物陣營中佔有特殊位置。

青木對中國新文化運動的介紹評論，在日本有一定的影響，青年學生瞭解新文化運動，多是從閱讀《支那學》的有關文章發端。隨後陸續出現了一些介紹中國當代新思潮與新人物的小冊子，如《支那現

---

9 此事青木日記中記載。參見唐振常：《吳虞與青木正兒》，《中華文史論叢》1981年第3輯，上海古籍出版社1981年版。

10 青木正兒：《胡適を中心に渦いてある文學革命・附記》（1926年9月），《支那文藝論藪》，東京，弘文堂1927年版，第398-399頁。

11 1921年11月13日青木正兒致吳虞，趙清、鄭誠編：《吳虞集》，成都，四川人民出版社1985年版，第394-395頁。

代思潮》、《支那黎明人物》等。不過，胡適等人似乎有些誤解《支那學》雜誌代表京都學派的意見。其實這並非京都大學支那學會的機關刊物，也不代表京都學派。其中起主要作用的小島、青木、本田成之、甚至武內義雄，都有超越京都學派主帥內藤虎次郎和狩野直喜藩籬的意向，而引起後者的批評。[12]

明治以後，日本一度倡行歐化，後來國粹主義抬頭，中國研究隨之復蘇。因此，日本的中國學者，大都主張保持和發揚東方固有文化，與中國新文化運動宣導者們反傳統的傾向很不一致。青木公開反儒，實屬例外。魯迅從在京都研究文學的沈尹默處聽說「青木派亦似有點謬」[13]，當反映京都學派主流的意見。狩野直喜認為用索引方式重新條理中國文明的整理國故，大有築壩令峽谷風景沉沒之感，而主張保持和愛惜其自然風光，體會天然景色的韻味。[14]這不僅與新文化派的見解大相徑庭，而且是針對後者的主張。所以本田成之雖然作《法家與儒家之關係》，將陳獨秀、胡適、吳虞並稱為繼黃宗羲之後近年主張非孔主義之人，卻函告吳虞：「不佞尤服先生睥睨千古，能主張其說，而不屈之膽氣。不佞輩未能不顧慮於父母師長之圈，不然直杜衣食之途，不能養妻子也，是固所深恥」[15]。

---

12 《學問の思い出——青木正兒博士を圍んで》，《東方學》第31輯，1965年11月；《學問の思い出——倉石武四郎博士を圍んで》，《東方學》第40輯，1970年9月；《先學を語る：內藤湖南博士》，《東方學》第47輯，1974年1月。青木與王國維不大投緣，某種程度上也反映了前者與京都學派的不一致。但儘管京都學者一再解釋，至今仍有誤解《支那學》雜誌代表京都學派者。

13 《魯迅全集》第11卷，人民文學出版社1989年版，第391頁。

14 《胡適》，《吉川幸次郎全集》第16卷，第432頁。

15 中國革命博物館整理，榮孟源審校：《吳虞日記》下冊，第95、100-101頁。青木批評東京的學者研究態度未純，對孔教猶尊崇偶像，而「京都的學徒，這等迷信很少。……我們同志，並不曾抱懷孔教的迷信，我們都愛學術的真理」（中國革命博物館整理，榮孟源審校：《吳虞日記》下冊，第13-14頁）。其實京都學派的師長固然

即使像青木這樣的新派，也自稱有「乾隆文化的謳歌癖」[16]，其論文不僅指出文學革命重形式而忽視內容、以及新詩像散文而欠詩味的不足，還聲稱：「很愛中國舊世紀的藝術，而且遺憾的事情不鮮少」，希望宣導新文藝者發揚中國之長，而以西洋文藝的優點翼補所短，以「做一大新新的真文藝」。[17]在他看來，中華民族的偉大，就在於自古以來不斷地融合外來文化以壯大自我，轉換方向以開創新局面，因此華洋混雜的不協調恰是中西合璧的過渡。從這一意義上，他將中國青年轉換文化方向的嘗試和努力，視為拯救應受尊重的大國文化於衰老病中的長生仙術。[18]

尊孔崇儒的東京學派對於新文化運動的反應較為消極，在各種場合以不同方式直接或間接對新文化派批判固有文化，尤其是抨擊儒學的主張提出異議。1921年7月，胡適到一聲館拜訪來華的小柳司氣太，筆談中後者提出：「儒教為中國文化一大宗，其中有幾多真理，一旦棄去，甚可痛惜。」胡適回應道：「我們只認儒教為一大宗，但不認他為唯一大宗。」[19] 1924年4月，服部宇之吉等人訪問北大，當面向蔡元培指責北大「近遂不尊崇孔子，且又廢講經，大不可也！」蔡舉北大新舊教授講經之事以對，聲明於儒學諸子，「均一視同仁，平等研究」，所反對僅在獨尊儒術。[20]市村瓚次郎所著《論環境與文化之關係並及儒教之體系與革新》，亦隱約批評吳虞等人視儒教為共和障礙而加以攻擊的做法，主張革新儒教使與環境相順應。[21]

崇儒，弟子除青木外，也不敢公開反儒。

16 青木正兒：《杭州花信》，《江南春》，第4頁。原載1922年5月《支那學》。

17 志：《胡適年譜》，第88頁。

18 青木正兒：《杭州花信》，《江南春》，第7頁。

19 中國社會科學院近代史研究所中華民國史研究室編：《胡適的日記》，第133-134頁。

20 趙清、鄭誠編：《吳虞集》，第239-240頁。

21 中國革命博物館整理，榮孟源審校：《吳虞日記》下冊，第273頁。

民國以後，來華留學、研究和調查的日本人明顯增多，其中一些人與中國的新進學人有所交往，方興未艾的新文化運動自然在關注之列。1921年來華留學的東京大學研究生竹田復，曾到北京大學向胡適請教關於五四運動的事。[22] 1917年來華的橋川時雄畢業於日本傳統漢學的重鎮東京二松學舍，先後入《順天時報》社、共同通信社、大和俱樂部。他與中國學術文藝界人士交往最廣，又與新文化運動眾將有緣，曾在北京大學旁聽過胡適、李大釗、劉師培、黃節、吳虞等人的課，親眼目睹五四學生運動，後來翻譯了梁啟超的《清代學術概論》、魯迅的《中國小說史略》、胡適的《五十年來的中國文學》，向日本介紹中國的新學術和新文學。

主持三井會社中國研究室的今關壽麿自1918年來華，到1931年歸國，在北京十餘年，每年巡遊大江南北，結識眾多的新舊各派學者。[23] 1922年曾撰寫關於中國現代學術界狀況的小冊子，分別概述中國南北中各地的新舊學派，1931年又據以擴展為《近代支那の學藝》（東京民友社1931年）的專書，全面檢討五四時期中國學術界的狀況，對於北京大學、梁啟超、孫文等三大新學派的主張、立場、分歧有所評議。他認為，概言之，現代為學界衰弊時代。雖然北大一派用西洋科學方法整理舊學術為新的開端，但前景未可樂觀。[24]所列舉中國詩文界各派代表，也沒有白話文學的位置。

更多的登門拜訪者則直接表達了對新文化運動主張的懷疑和擔憂。1920至21年間留學中國的諸橋轍次訪問胡適，筆談中除稱讚胡適贈閱的《中國哲學史大綱》及請教關於中國家族制度研究的參考書外，提出兩大問題，其一，宋代自由思想鬱興，學術發達的主因為

22 《學問の思い出——竹田復博士を圍んで》，《東方學》第37輯，1969年3月。

23 《學問の思い出——今關天彭先生を圍んで》，《東方學》第33輯，1967年1月。

24 今關天彭：《近代支那の學藝》，第21-25頁。

何。其二，「近年敝國人之研究經學者，多以歐米哲學研究法為基，條分縷析，雖極巧致，遂莫補於穿鑿。弟私以為東洋經術、西洋哲學既不一，其起原體系研究之方法Method，亦宜有殊途。然而弟至今未得其方法，又未聞有講其方法者。請問高見如何？」

對於前者，胡適的回答是印度思想輸入融化。精於宋學的諸橋懷疑單純外因的力量，強調內部思想發展及相互影響作用。對於後者，胡適則答非所問，他說：「鄙意清代經學大師治經方法最精密。若能以清代漢學家之精密方法，加以近代哲學與科學的眼光與識力，定可有所成就。」並舉所著《中國哲學史大綱》導言和《清代漢學家之科學方法》以供參考。[25]其實，胡適的中國哲學史著作，同樣有諸橋所指之弊病。而諸橋的問題，至今仍然困擾東方學術，實在是本世紀國際學術發展的根本難題。以胡適的世界主義觀念及其對科學的崇拜，很難慮及於此。在他看來，治世上一切學問皆可以一種科學方法。

此外，諸橋還來函提問：

> 「一、中國領土廣大，南北各異，語言以白話代文言，寧不招國語紊亂而致人心乖離嗎？二、文言有固定性質，白話有進化性質，若以白話代文言，則朝變暮改，還可期系統的發達嗎？三、學童所修專是白話，則彼成人之後，不訓讀文言，則舊庫載籍豈不空束高閣了嗎？則禹域3000年文化將蕩然掃地。請問有何辦法可救此弊？」[26]

諸橋後任文理科大學教授和靜嘉堂文庫長，多次來華，所言足以

25 《胡適和諸橋轍次的筆談》，《學術集林》卷十，上海，遠東出版社1997年版。
26 耿雲志：《胡適年譜》，第93頁。此為編者歸納的大意。

代表一般來華日本學者「往往替『東方的遺產』抱著過分的憂慮」的態度。[27]他後來回憶與中國學者的交往，還是以遺老舊人為首為主，對新文化運動的宣導者不過附帶提及。[28]以新文學為主要內容的現代文學在日本的中國學界長期不受重視，到1930年代，只有京城帝國大學文學部的辛島曉開設了專門課程，另外竹內好等一些東京大學哲學、文學科出身者組成了中國文學研究會，發行月刊《中國文學》，關心現代中國文學。東京大學直到1930年代末，才由宮原民平講師開設有關現代中國文學的課程「周作人隨筆」，[29]其中還不免夾雜政治因素。

二　韓國：聲應氣求

東亞各國雖然同屬儒教文化圈，在近代世界體系中所處的位置卻截然不同，因而對於國際思潮變化的反應各異。如果說青木重視中國的新文化運動在日本尚屬例外，朝鮮知識界對此則有相當普遍的共鳴。中國新文化運動興起前後，日本殖民統治下的朝鮮民族解放運動高漲，也出現了建設本國新文化的呼聲。1920年6月創刊的《開闢》雜誌，以開新紀元，創新時代，養新人物為宗旨，於當年10月出版的第4號發表主編李敦化的署名文章《朝鮮新文化建設方案》，提出分鼓吹知識、普及教育、改良農村、都市中心、科學專家、思想統一等六個階段，實現新文化建設。而中國方興未艾的新文化運動，勢必為其所關注。該刊第5-8號連續譯載青木正兒的《以胡適為中心的中國文學革命》，譯者梁白華，名建植，字菊如，號杏村洞人，是當時朝鮮

27 耿雲志、歐陽哲生編：《胡適書信集》中冊，第662頁。

28 諸橋轍次：《支那學者の思ひ出》，《支那の文化と現代》，東京，皇國青年教育會1942年版，第85-94頁。

29 長瀨誠：《日本之現代中國學界展望》，華文《大阪每日》第2卷第8期，1939年4月。

十分活躍的漢文學研究者。早在1917年11月，他就在《每日申報》撰文《關於支那的小說及戲曲》，指出：

「研究外國文學的目的在於有利於發達本國文學，支那文學輸入朝鮮三千餘年以來，給予極大影響，深深紮根，故不解支那文學，不能於我國文學有一知半解。況且支那文學具有一種特性，於世界文壇大放異彩。支那為東洋文化源泉，思想鬱然磅礴，詞華燦然煥發，合北方沉鬱樸茂與南方橫逸幽豔成一雄渾壯大的支那文學，浸及於朝鮮、日本。」

該文在概述元明清小說戲曲發展簡史及其對朝鮮的影響後，指出小說戲曲具有平民文學性質，希望與正在輸入的西洋文學融貫調和。[30]他翻譯青木的文章，正是想借鑒中國的文學革命，以創建朝鮮的新文學。

1920年12月，《開闢》社致函胡適，寄贈已出各卷外，還請胡適為新年號題辭。胡適從留學時代起就關心亡國的朝鮮同學，與金鉉九交友，對其境遇充滿同情，常以無力支持幫助為憾，曾自責道：「韓人對於吾國期望甚切，今我自顧且不暇，負韓人矣。」[31]他接信後，即於12月19日題寫「祝《開闢》的發展」，並覆函：

「適批閱貴志，方知貴志為東方文學界之明星，茲將數字奉呈，以為貴志之祝筆，代登為感。專此敬請貴社日益發展。同呈敝同事北京大學教授高一涵君祝詞，並乞收納。」[32]

---

30 《每日申報》，1917年11月4-8日。

31 《胡適留學日記》，臺北，商務印書館1959年版，第582頁。

32 《開闢》第7號（1921年1月1日），此函《胡適書信集》未收。

高一涵的題詞為：「開闢：威權之敵。」另有上海《興華報》社的祝箋。[33]《開闢》的編者將祝詞和覆函一併影印刊登於該刊1921年新年號上。胡適致函青木正兒時，對《支那學》將變成一個「打破國境」的雜誌表示「極歡迎」，並稱《開闢》譯登青木的文章，「也是打破國境的一種現象」。[34]

1921年1月，梁建植又致函胡適，表示仰慕之外，希望其賜稿和照片以刊載於《開闢》。[35]由於日本殖民當局壓制朝鮮民族主義者與中國進步人士的聯繫，《開闢》屢遭處罰，此事沒有結果。兩年後，梁建植參與的《東明》周刊於第2卷第16號（1923年4月15日）刊登了李允宰譯胡適的《建設的革命文學論》，並附有胡適的站立照片。譯者解題道：

> 「中國文明精華雄渾，經史書集絢爛，詩賦詞章燦然極備，舊文學足當世界。胡適的文學革命論一出世，全國一時風靡，破二千年迷夢，精銳步武高揚革命旗，對崇尚陳舊腐敗死文學的朝鮮人以深刻刺激，特抄譯供諸君參考。」

1925年1月，胡適應邀為《朝鮮日報》撰文介紹評論《當代中國的思想界》，該報稱胡適為「思想界之泰斗，青年界之頭領」。[36] 1931年，柳根昌在《新生》雜誌10月號載文《扭轉新中國命運的人物》，仍將具有「英國人的沉著，美國人的創意，德國人的探究心」的胡適，視為中國學界的代表。

---

33 《開闢》第7號，1921年1月。

34 耿雲志、歐陽哲生編：《胡適書信集》上冊，第257頁。

35 耿雲志：《胡適年譜》，第91頁。

36 譯文載《胡適研究叢刊》第2輯，北京，中國青年出版社1996年版。

1910年代以來，朝鮮留華學生為數不少，並開始謀求結合團體。起初因人數不多，又分散在南北兩京，相距太遠，未能遂其志。後來留學生人數增加，先以地域為基礎結合，成立了上海留滬學生會、南京學友會、蘇州留吳同學會、北京高麗留學生會。在五四運動風潮的鼓舞下，繼而於1921年夏由留滬學生會和南京學友會發起，籌畫組織全中國高麗留學生會，7月，首先成立了高麗華東留學生聯合會，就讀於江蘇、安徽、湖北、浙江、江西等省的朝鮮留學生加入者達130人，以鄭光好為會長，卓明淑為副會長，金善良為議事長，職員及議事員有姜斌、金柱、朴贊永、朱耀翰、李康熙、崔志化、安原生等。他們積極參與各種國際性的學生組織活動，先後派代表參加在莫斯科舉行的遠東弱小國家大會和在北京舉行的國際基督教學生同盟會，並注意中國思想文化界的動向，報告回國。[37]一些成員歸國後，成為民族主義的重要鼓動者。如議事員朱耀翰於1926年5月創刊《東光》雜誌，任編輯兼發行人，提倡個人主義，精神啟蒙，其精神背景為以安昌浩為中心的興士團。據說這是韓末和日帝時代朝鮮國內唯一強有力的政治團體，民族主義的大本營。朱氏原來留學日本，1919年2月曾創辦《創造》文藝雜誌於東京。

此後，胡適、陳獨秀、李大釗、梁啟超、孫中山等人的思想主張及新文化運動的發展情況陸續為朝鮮的報刊雜誌介紹評論，如整理國故、新詩創作、白話文、大眾語、國語統一及漢字改革、東西文化論戰、非宗教運動、國民文學與普羅文學等。關於胡適著述有李像隱譯《實驗主義》(《現代評論》)，吳南基譯《孫文學說之科學的批判》(《新朝鮮》)，金剛秀譯、李季著《胡適著哲學史孔子論批評》(選譯

37 上海復旦大學姜斌：《高麗華東留學生聯合會誕生與由來》，《開闢》第24號，1922年6月。

自《胡適中國哲學史大綱批判》第6章「對於哲學史所描寫的孔子、孟子、荀子的批評」,《新興》),以及胡適的幾首白話詩。翻譯的梁啟超著述有《新民之新理想》、《民族解放的基調與自我解放原理》(《新民》)、《知識教育政治教育》(《開闢》)。以「北旅東谷」為筆名發表的文章《樹立新東洋文化》,論述從洋務運動以來中國的社會變革,尤其是重點評述了陳獨秀的文學革命,梁啟超的新學會宣言,以蔡元培為中心的北京大學新教育,胡適的文學改良芻議,周作人的人的文學,王世棟的新文學革命等,全面介紹中國改革舊思想舊文藝,建設新文學的運動,其目的在於對朝鮮社會有所裨益。[38]該作者還載文論述中國關於東西文化的論戰,作為朝鮮文化運動的借鑒。另外《新民》雜誌譯載了中國范麗誨的文章《新中國及其國學主張》,介紹中國正在將傳統的五經改造為哲學、史學、政治、經濟等新式學科。[39]

梁建植除繼續翻譯撰寫有關中國新文化和新文學的論文作品,介紹「文學革命首倡者中國的胡適不僅是哲學者,還是詩人」[40]外,還致力於中國古典文學和思想的研究介紹,在《東光》、《新民》、《新生》、《文藝時代》、《如是》、《文藝公論》、《東明》、《東亞日報》等報刊先後翻譯中國的傳統及新編戲曲《西廂記》、《琵琶記》、《東廂記》、《四絃秋》、《桃花扇傳奇》、《馬嵬驛》和小說《水滸傳》,發表了《水滸傳》、《五字嫖經》、《紅樓夢是非:中國的問題小說》、《元曲概論》、《從藝術上看西廂記及其作者》等論文,介紹評論中國、日本有關研究和翻譯的得失。如關於《紅樓夢》的長篇論文,從分析作品的情節寓意、人物塑造入手,比較與《水滸》、《金瓶梅》的特色,並重點評述了紅學各派的觀點,涉及蔡元培、胡適、俞平伯、錢靜方等

38 《開闢》第30號,1922年12月。

39 《新民》第42號,1928年10月。

40 梁建植:《新詩談(譯胡適〈嘗試集〉序)》,《東明》第6號,1922年12月10日。

代表性諸說。[41]此外，他還撰寫了《現代思想的源泉：老子學說大意》，敘述老子的生平學說，評介歐洲、日本學者如武內義雄等人的研究進展和趨勢[42]；翻譯了章炳麟的《中國文化的根源與近代學問的發達》，主張借他山之石看待中國固有學問。[43]

梁建植的翻譯介紹和研究評論，既批評舊禮教壓抑人性的正常發展，又發掘中國傳統文化中的積極因素，他認為文學的反抗精神象徵著現實生活的窮促，因此帝俄時代和最近中國的文壇生機勃勃。禮教本來是為了幫助人性的適當發展，但過度箝制，則導致相反效果。壓抑與纏足，即為變態的證明。《西廂記》等作品顯示對舊禮教的反抗和對人性的正當追求，是人性從禮教下解放的凱旋曲、紀念碑。[44]這與中國的新文化尤其是整理國故運動的主張較為合拍。和梁氏同為非海外文學派重要成員的丁來東也撰文稱：中國新文學勃發之際，一度盛行全盤否認古代文學，後來整理國故熱，重新發現古文學的價值。胡適等人依據文學的用語評定優劣，周作人和郭沫若等則主張根據作品的內容。中國文學與西洋諸國比較，各有長短。中國文字為文學的表現器具，重象形表意，意味深長，因而詩歌發達。但敘事詩較西洋為少。近來重視民間文學，則發現彈詞等長篇敘事詩。[45]

當時朝鮮思想界的一般傾向是著重反儒教以求精神解放。據1918年到漢城的蔣夢麟描述：「如果說朝鮮青年對日本的態度是仇恨，那麼對中國的態度就是鄙夷。年老的一代惋歎充滿中國文化的黃金時代已成過去。」[46] 1920年7月創刊的《廢墟》雜誌，即從泰西、儒教和

41 《東亞日報》1926年7月20-9月28日。

42 《新民》第34號，1928年2月。

43 《東亞日報》1929年1月19日-29日。

44 梁建植：《從藝術上看西廂記及其作者》，《東亞日報》1927年11月17日。

45 丁來東：《中國文學的特徵》，《學燈》第22號，1936年1月。

46 蔣夢麟：《西潮》，第181-182頁。

朝鮮古文化的關係立論，認為：現在地球上僅泰西一隅文化燦爛，一旦封閉的格局被打破，新思潮起而改造社會，泰西文化將彌漫全世界。努力改造貧弱精神各方面的運動，將作為各種新事業建設的一部分。欲使本國文化於世界有所貢獻，令祖先的思想事業影響人類的幸福，就必須解放思想。所謂解放，是從守舊的儒教思想和頑固的禮節下解脫出來，從非科學的教育的班閥主義走向自由發揮才能。現在朝鮮青年復活過去固有文化的暗光，對於將來第二代青年的生活，現今自己的生存價值，以及邁向新時代的路程計劃，都十分必要。[47]這顯然是希望擺脫儒教的束縛，使朝鮮的古文化與西方近代文化接榫。1922年金昶濟以《儒教與現代》為題，評論當年中國和日本一些地方舉行紀念孔子逝世2400週年的祭典，作者對中國言論界傾向於反孔頗有同感，認為孔教過去為東洋道德基礎，但現在對社會的支配力已經降低，應當追求新的道德觀念。[48]後有人對此表示異議，予以駁論。

對於新文化運動的局限及其調整變化，朝鮮人士也予以密切關注。1928年丁東從北平報導：五四以來提倡文學革命，以白話代文言，但接受西洋文學，多由日本間接轉手，所介紹的古典、浪漫、表現、未來等各種主義，全是「抄書著作家」，以耳代目，創作多為模仿，批評也雜亂無章，成功者只有周樹人、作人兄弟等少數人，《小說月報》則主張自然主義。過去的一兩年，自然、唯美、趣味、未來等派別均趨於沒落。1928年春，受蘇俄和日本的影響，無產階級文學抬頭。但是，僅僅一個階級的文學有所局限，因而將向大眾文學轉換。[49]同年梁柱東在《東亞日報》發表文章，評論中國文壇關於國民

47 李丙燾：《朝鮮的古藝術和我們的文化使命》，《廢墟》第1號，1920年7月。

48 《東明》周刊1922年11月12日。

49 丁東：《現代中國文學的新方向》，《新民》第42號，1928年10月。

文學與無產文學的論爭。[50]梁白華則注意到1920年代後半中國文壇反新文學出版物流行的異象。[51]

三　歐美：漢學專利

第一次世界大戰後，東西方思想文化界潮流動向截然相反。歐洲「一般學者頗厭棄西方物質文明，傾慕東方精神文明」[52]。當時中國留德學生描述：「德國思想界，有兩大潮流，一為新派，一為舊派。所謂新派，大都出自言哲學美術與詩學者，彼輩自歐戰後，大感歐洲文化之不足，而思採納東方文化，以濟其窮，於是言孔子、釋迦哲學者，皆大為社會所尊重，如凱熱幾林，如尉禮賢，如史奔格列兒，皆其例也。所謂舊派者，仍尊崇自然科學萬能，不為時潮所動搖，……此兩大潮流中，新派極占勢力，所謂舊派者，幾無聲息。此種現象，與吾國適反。我國言新者大都以駁斥孔子為能，而在德國，則深以能知孔子哲學為幸，甚至以辜鴻銘為歐洲之救星。可見天下學問，其價值極為相對，合乎當時之人心，則價值便高，反乎當時之人心，其價值便低。今日國內盛稱之杜威、羅素，安知幾年後，其學問不為人所吐棄，而奉之者儼如上帝，此亦未免太過矣。」[53]

中西思想界傾向迥異，在對法國漢學泰斗沙畹（E.Chavannes）逝世的反應上突出顯現。1918年1月，正當盛年的沙畹不堪戰爭環境的嚴峻以及友人被難的刺激，52歲即溘然長逝，「東西人士，哀悼不

50 樑柱東：《丁卯評論壇總觀（一）：國民文學與無產文學諸問題的檢討批判》，《東亞日報》1928年1月1日。

51 《開闢》第44號。

52 王光祈：《旅歐雜感》，《少年中國》第2卷第8期，1921年2月15日。

53 魏時珍：《旅德日記》，《少年中國》第3卷第4期，1921年11月1日。

置，傅增湘氏之唁函，尤為悲惻」。法國駐華公使柏卜到北京大學演講，北大專門請其介紹沙畹的學行。柏卜一面稱讚沙畹「學極淹博，性尤謙遜，在歐洲一生精於演講貴國歷史美術文學，宣揚貴國名譽不遺餘力」，一面感歎「具有首倡此項演說資格」的沙畹「天奪其壽，實我中法兩國之不幸也」，希望眾多法國人士「步其遺塵，時來貴校交換智識，及貴國多數學生前往巴黎暨法國各省大學，研究學問。」[54]而當時正為推陳出新大造輿論的《新青年》，卻對國粹派趁機鼓吹「東學西漸」大為不滿。署名「冰弦」（梁襄武）的「蔗渣譚」一文，為了反對國粹派引沙畹的「東學癮」之深以自重，對沙氏不免出言不遜：

> 「嗟乎！夏先生死矣，我固為好學不倦者哭。然而夏氏其人者，決不出兩途：尊之則為採譯《春秋繁露》冀與《天方夜譚》齊名之某氏；卑之則直作公牘讀八股試帖誦緬甸佛經之儔耳。」[55]

沙畹之死的不同反響，反映了思想價值與時勢人心的順逆正比關係。

儘管新文化運動者與歐美漢學家的文化取向表面不同甚至相反，真正關注中國新文化運動的異域人士還是漢學專家，尤其是親歷其境的來華任教研究者。當時北京的各國來華人士不少，其中喜歡文學者於1919年組織了文友會，定期舉行演講等活動，有數十人參加，胡適、丁文江等人也參與其中，胡適還擔任過為期一年的會長。任教燕

54 《法公使蒞本校演說紀事》，《北京大學日刊》第163號，1918年6月15日。
55 《新青年》第5卷第3號，1918年9月。

京大學、研究基督教在華歷史的瑞士學者王克私（Philipe. de. Vargas）也是文友會會員，他於1921年6月拜訪胡適，後又來函並登門採訪有關新文化運動之事。1922年2月15日，將所獲在文友會以《中國文藝復興的幾個問題》（Some Aspects of the Chinese Renaissance）為題發表演講，這應是歐洲人首次以學術眼光評論中國的新文學運動，引起與會者的熱烈討論。丁文江持梁啟超之見，認為中國文藝復興只限於清代漢學，不當包括近年的文學革命運動。胡適則反對此說，「頗助原著者」。後來王克私再就文學革命運動採訪胡適，在胡的幫助下，修改成同題長文，刊登於1922年4至6月上海由英國皇家亞洲學會華北分會名譽書記顧令（Samuel Couling）創辦的《新華學報》（The New China Review）。兩人因此交往多年，成為很熟的朋友。[56]

不過，胡適雖然對王克私提供參考意見，卻認為其文「實不甚佳」，次年4月，復用英文自撰《中國的文藝復興時代》（The Chinese Renaissance），分為宋學、王學、清學、新文化4期。胡適一生就此題目在國內外不同場合長時期反覆演講，均緣於此。

1921年10月，胡適在法國《政聞報》主筆孟烈士特（A. Monestier）的宴席上與瑞士漢學者戴密微（後入法國籍）相遇。戴是沙畹的弟子，少年時即得到沙畹、馬伯樂（H. Maspero）等漢學名家的指教，1920年考進河內法蘭西遠東學院。[57]來北京時已能讀中文書，看過胡適的《中國哲學史大綱》，有意譯成法文，但尚未能自信。兩天後，胡適在原康乃爾同學王彥祖的宴席上與之再會。[58]這一機緣促成戴密微

56 中國社會科學院近代史研究所中華民國史研究室編：《胡適的日記》，第96、255、263、267-268、280頁；《胡適日記》手稿本，1923年4月3日，1953年3月23日。

57 耿升整理：《戴密微》，《中國史研究動態》1979年第6期。

58 中國社會科學院近代史研究所中華民國史研究室編：《胡適的日記》，第237、239頁；胡適：《記辜鴻銘》，楊犁編：《胡適文萃》，第656-659頁。

於1923年至1924年間，先後在《河內遠東法蘭西學校校刊》（Bulletin de L'Ecole Francaise d'Extreme-Orient）載文介紹胡適關於井田制的反傳統見解及其章學誠研究，並探討胡適的新詩創作。[59]

德國的衛禮賢本不是學院式漢學家，但與中國學者的聯繫較為廣泛，在德國的影響一度也十分普遍。他雖然景仰中國的傳統文化，卻並不排斥新的變化。他與北京大學關係由來已久，早在1920年6月，就應邀到北大演講「中國哲學與西洋哲學之關係」，主張將中國哲學的人道、實用與西洋哲學的秩序、批評、歷史相融合，形成最完全的世界人類的哲學。[60] 1922年底，又於出席北京大學25週年紀念時，發表演講「文化的組織」，將北大校慶視為「世界文化史上一個重要的日子」，希望北大順利發展，使「最古的和最新的相聯結而成中國的文化」，不僅古文化為世界所知，新文化「也要漸惹世界的注意」。[61] 1923至1924年尉氏任教於北京大學期間，參與國學門的活動。是時國學門聲勢極盛，一度有會員160餘人，尉氏因而提議：「將中國學者生卒年月及重要學說報告英美學者，編入世界學術史」。[62] 1924年，北京大學及梁啟超等人發起紀念戴震誕辰二百週年的活動，衛禮賢也有所響應，曾到清華學校演講「中國之戴東原與德國之康德」[63]。

巴黎學派的其它漢學家在全面關懷中國問題的同時，也注意到新文化運動。早在1921年2月，在新文化運動中扮演要角的少年中國學會巴黎分會請幾位法國學者發表對於宗教的感想，漢學家葛蘭言

59 アンリ・マスペロ著，內藤耕次郎、內藤戊申共譯：《最近五十年支那學界の回顧》，《東洋史研究》第1卷第1號，1935年1月；第6號，1936年8月。

60 《北京大學日刊》第639號，1920年6月21日。

61 《北京大學日刊》第1139號，1922年12月25日。

62 董作賓記：《國立北京大學研究所國學門第二次懇親會紀事》，《北京大學日刊》第1506號，1924年6月27日；《北大研究所國學門懇親會》，《晨報》1924年6月16日。

63 《要聞》，《清華周刊》第305期，1924年3月14日。

（Marcel Granet）最先作答，他說：「我一點不遲延，便回答貴會的問題，你們貴會可算是最令我特別注意的。」對於所問人是否宗教動物，新舊宗教是否還有存在的價值，以及新中國是否還要宗教等三大問題，其簡要的答覆是：「人類由有宗教漸漸變到無宗教，要算是人類的根本進化」；中國舊宗教已隨社會變遷而消滅，無須白費力氣以求恢復，希望中國人的思想「永遠保守這個無宗教的道德精神」；為一民族重建一種宗教，為矯揉造作且甚危險之事，新中國「在今日無宗教的需要了」。[64]這對留學生很有鼓舞作用。先後從學者有楊堃、李璜、淩純聲、陳學昭、陳錦等。

巴黎學派的另一大家馬伯樂（Henri Maspero）也關注新文化運動。1927年他為《最近五十年的歷史與歷史家》一書撰寫了中國及中亞部分，評介整個國際中國學界的研究狀況，提及的中國學者有羅振玉、王國維、胡適、朱希祖、顧頡剛、張鳳、梁啟超、陳垣、劉復、賀之才、朱家健、蔣瑞藻等，尤其注意歸國留學生努力運用西洋研究法的新興學問運動，認為時日雖淺而作品甚多，顯示了令人感興趣的成果。儘管他承認歐洲人對於現代中國的文學、宗教關懷遠不及政治事件，還是注意到這些領域新的變化。他評述了青木正兒與荷蘭漢學家戴聞達（J.J.L. Duyvendak）等人關於中國白話文運動的文章，Tsen Tson-ming《中國詩小史》對自由體新詩在西洋文學影響下的起源、趨勢與特徵的論述，以及張鳳對現代詩壇傳統、改革兩派的略述，戴密微關於胡適新詩的檢討。同時指出，在中國近代文學的研究中，戲曲小說較詩歌更有成效。[65]

此外，荷蘭漢學家戴聞達在出版於萊頓的荷蘭、丹麥、挪威東方

64 李璜譯：《法蘭西學者的通信》，《少年中國》第3卷第1期，1921年8月。
65 《東洋史研究》第1卷第1-6號，1935-1936年。

學會聯合會機關雜誌《東方學報》（Act. Orient）第1期載文《文藝復興在中國》（A Literary Renaissance），論述以胡適為中心的白話文運動。[66]戴原為駐華外交官，久住中國。1918年歸國，先後任萊頓（Leiden）大學漢學研究所會員、教授，參與主編《通報》，並組織了漢學研究會。1926年初訪問清華國學研究院，與王國維、梁啟超、趙元任、吳宓等人會面，還談及中國的新文化等問題。[67]

1926年胡適赴歐洲出席庚款會議，並閱看敦煌卷子等史料，途經蘇聯，與人稱蘇聯漢學泰斗的阿列克（V.M. Alekseev）發生聯繫。[68]阿氏為沙畹入室弟子，主治中國語文思想宗教，他既是溝通蘇俄與歐洲漢學界的橋樑，又是蘇聯第一代漢學家的養育者。雖然他主要使用巴黎學派的正統方法，卻對以胡適為代表的中國新文學運動予以關注，從1925年起，即在列寧格勒的《東方》雜誌載文介紹上海亞東圖書館出版的康白情、俞平伯、汪靜之等人的新詩集，並提及胡適的序言。次年他應邀赴法國講授中國文學，最後介紹分析胡適的《嘗試集》（1929年發表於《巴黎評論》Revue de Paris 15Avr，全部演講集1937年在法國出版），並在《法國東方愛好者協會通訊》（Bullein de' I'Asslciation Francaise des amis de I'Orient）等雜誌撰文《現代中國的一些問題》、《當代中國文學之問題》，評述中國的教育、國語、新文學，詳細介紹胡適的《文學改良芻議》。

---

66 アンリ・マスペロ：《最近五十年支那學界の回顧》，《東洋史研究》第1卷第6號；梁繩禕：《外國漢學研究概觀》，《國學叢刊》第2期，1942年1月。梁文稱戴聞達專任萊頓大學漢學教授在1930年，疑誤。

67 吳宓著，吳學昭整理注釋：《吳宓日記》第3冊，第125、175頁。

68 胡適日記未記載他與阿列克等蘇俄漢學家的交往，1934年蔣廷黻到蘇聯看舊俄史料，函告胡適：「你的舊朋友Ivanov and Alexiev都要我代問好。」（中國社會科學院近代史研究所民國史組編：《胡適來往書信選》中冊，第257頁）則胡適此行當與阿氏見過面。

同時阿氏還注意胡適的中國思想史研究，1925年在《東方》第5輯發表關於1922年版《先秦名學史》的長篇書評。此書由一位法國漢學家從北京帶到巴黎，轉交阿列克，阿曾於1923年在蘇俄考古學會作初步介紹，並寫成長評。他大體贊成胡適對傳統觀念的批判，但對其研究創作方法及成就則頗多保留和批評，有的意見還很尖銳（如論白話詩），認為胡適著作只是歷史新篇章的序言。近年來加拿大和俄羅斯學者依據上述史實提出：「第一個在歐洲介紹及評介中國現代文學的是俄國著名漢學家阿列克塞耶夫院士」；阿「是歐洲第一個介紹胡適新詩的漢學家」，[69]則失之於蔽。儘管瑞士學者王克私的文章發表於中國，但用英文，對象是國際漢學界。況且還有戴密微、戴聞達、馬伯樂等人的著述。1930年代蘇聯開始大清洗，阿列克因所謂只承認中國的舊學術和文學傳統，強烈誹謗現代中國文學，玷污蘇聯學者的體面而遭到嚴厲批判，則不免厚誣時賢。[70]

美國的傳媒從1921年開始注意中國的文學革新，5月的《世紀》雜誌（Century）就此發表專論。[71]而保持興趣的則是恒慕義（A.W. Hummel）。恒氏原是來華傳教士，早在1920年代就進入胡適「我的朋友」之列。顧頡剛的《古史辨》第1冊自序發表後，恒慕義讀過，寫信給顧，希望譯成英文，「因為這雖是一個人三十年中的歷史，卻又是中國近三十年中思潮變遷的最好的記載。」胡適得知，表示「很贊同這個意思」，並在1926年旅歐途中所寫書評特地引以為證，說明該書的重要。而恒慕義在1926年和1928年寫的書評與論文中，又引胡適

---

69 李福清（B.Riftin）：《中國現代文學在俄國（翻譯及研究）》，閻德純主編：《漢學研究》第1集，北京，中國和平出版社1996年版，第341-345頁。

70 藤枝晃：《アレクセ—-エフ教授の業績》，《東方學報》第10冊第1分，1939年5月；Gilbert Rozman: Soviet Studies of Premodern China, Center for Chinese Studies The University of Michigan, 1984, 166。

71 中國社會科學院近代史研究所中華民國史研究室編：《胡適的日記》，第99頁。

的書評，並將胡適作為重點介紹對象，稱：「現在中國所謂『新文化運動』的一種重要趨向，就是堅決地要求用科學方法把本國文化的遺產從新估價一次。」而「現代中國的『文藝復興』的生機，就是對於過去所持的新的懷疑態度和最近學者之醉心於新的假設。」疑古辨偽雖然自清代始，但「最近十年裏面，胡適博士和曾經留學西方的其它學者，在研究史學的方法方面發表了許多著作，頓使這種運動驟添一種新的力量。」他進而希望中國將這塊「新大陸」公開，「使各國學者帶他的文化背景所供給的特有知識來到此地通力合作」。[72]

四 內外有別

五四前後的新文化運動，就是要把「文明」應用到社會上去，一方面改造墮落的現代社會，一方面提高民族的國際地位。二者本來相輔相成。「但是外國人因為不瞭解中國古代的文明，只看見中國現代的社會，遂以為現代墮落的社會，便是中國文明的結晶，因而對於中國民族存一種輕視之心。近來吾國文化運動雖十分熱鬧，但是在歐洲人眼光看來，亦不過是抄襲歐洲學說，小兒開始學步罷了，還不能減少他們輕視的程度。」[73]新文化運動的文學革命、思想改革、整理國故三方面，其中思想改革只在朝鮮引起普遍反響，在日本得到個別回應，在歐美則很少共鳴。胡適遊歷歐美日本期間反覆以《中國的文藝復興》為題公開發表演講，都旨在引起關注同情，否則新文化運動缺少必要的國際支撐。文學革命的反響雖較為廣泛，評價則很不一致。一般是肯定文學革命的趨向，而批評其重形式輕內容的弊端。至於整

72 胡適、恒慕義各文及王師韞中譯文均見《古史辨》第2冊，北京，樸社1933年版，第335、445-453頁。

73 王光祈：《旅歐雜感》，《少年中國》第2卷第8期，1921年2月15日。

理國故，雖然也有京都學派從方法上表示懷疑，大都基本積極評價所取得的成績和發展的方向。這與新文化運動在國內的反應剛好相反。

思想文化運動多由社會現實問題生成，東西方均無例外，社會現實有別，精神取向自然有異。由於第一次世界大戰後歐洲中心觀動搖和東方主義盛行的背景，國際漢學界對於以批判反對固有傳統文化為主導的新文化運動的簡單化傾向異議甚多，因為他們不僅從研究以傳統為主的中國文化過程中進一步認識了人類社會發展的多樣性，而且試圖從東方傳統文化尋求補救西方近代文化弊病的靈丹妙藥。同時，對於新文化運動的發展前景，又抱有一定的期望，視為中國近代文藝復興的重要體現。就漢學界本身的學術思想準備而言，封閉論與停滯論曾是歐洲傳統中國觀的典型觀念，經過巴黎學派領袖沙畹等人的艱辛努力，這一陋見根本轉變。伯希和說：

> 「居今日而言中國文化為純屬關閉，為從未接受外來影響，已人人知其非。……中國之文化，不僅與其它古代文化並駕媲美，且能支持發揚，維數千年而不墜，蓋同時為一古代文化、中世文化而兼近現代之文化也。」[74]

繼夏德（F. Hirth）之後成為美國漢學泰斗的勞佛（Berthold Laufer）持同樣觀念：

> 「他的興趣不限於過去和現在，用他自己的典型表述來說：『我到處看見活力和進步，並寄希望於中國的未來。我相信她的文化將產生新事實和新思想，那時中國引起世界普遍關注的

---

74 《法國漢學家伯希和蒞平》，《北平晨報》1933年1月15日。

時代將到來。』」[75]

由此可見，國際漢學界在致力於古代中國研究的同時，鑒於中國文化一脈相承的連續性，對於當代中國社會的發展變化同樣關注，並予以研究，而沒有後來主觀上的畛域自囿。

隨著新文化運動倡行者的自我調整，以及運用科學方法整理國故，與國際漢學界的溝通逐漸暢順。早在1921年，留學德國的王光祈就提出：「我以為要抬高現在中國民族的人格，最好是自己能夠創造新文化，以貢獻於世界，否則至少亦應將中國古代學術介紹一點到歐洲來，一則使東西文明有攜手機會，可以產出第三文明，二則亦可以減少歐洲人輕視中國民族的心理。」並以「中國文明僅由辜鴻銘傳到歐洲」為「我國一般文化運動家所當引為深恥」之事，希望中國青年「不要專心從事輸入，還須注意輸出」。[76]雖然新文化運動者未能獨力完成這一使命，整理國故卻在一定程度上是對國際文化趨勢的不自覺回應和對新文化運動本身簡單化傾向的調整補充。這一股頗為新文化運動激進派和後來學人所垢病的回流，客觀上推進了新文化運動國際目標的實現。而國際漢學的盛興，與中國新文化運動的發展變化相互呼應，使這一運動在改造內部的同時，也成為民族文化更新的表徵，擴大了世界對中國的關注與瞭解。

75 Berthold Laufer: 1874-1913, Monvmenta Serica Journal of Oriental Studies （華裔學志），Vol. I. ffsc II, 1935。

76 王光祈：《旅歐雜感》，《少年中國》第2卷第8期，1921年2月15日。

第五章
東方考古學協會

中國古代有金石古物學而無考古學，現代考古學進入中國學術正統，與五四新文化運動後「新國學」的興起關係密切。因為中國有文字記載的歷史文化源遠流長，考古學的發展很大程度上受這一特性的制約，除了與地質學及古生物學聯繫緊密的史前人類考古，主要還在補證文獻記載的歷史。就機構組織而言，其淵源脈絡有三，一是北京大學研究所國學門的考古學研究室，一是清華學校研究院國學科，一是農商部的中國地質調查所。後者偏重於史前考古，北大、清華則更為注重文明史考古。從外部影響看，大體上北大與日本交往多，清華與美國關係深，地質調查所則與歐洲聯繫廣。三者的起步略有早晚，後來的作用則相去甚遠，尤其是北大國學門的考古學研究室，作為中國乃至東亞最早的專門考古學獨立機構，其影響與這一地位很不相稱。關鍵之一，當是與外部聯繫的成敗得失，而中日雙方合組的東方考古學協會在其中起了至關重要的作用。由於利益目的不一，有關此事的原委始末，當事各方後來的回憶固然不少隱辭，當時的記載也不無諱飾。作為典型個案，它集中反映了那一時期關係複雜的中日學術界頻繁交往的表面所掩飾的種種內情。比勘各種資料，不僅可以澄清史實，更能進而探討得失。

一　新興學科

東方考古學協會由北京大學研究所國學門考古學會和日本東亞考

古學會聯合組成，追溯該會緣起，自應詳究北大考古學會和日本東亞考古學會的來龍去脈及其相互關係。

北京大學考古學會的緣起與日本及歐美考古學界不無關聯。自19世紀末起，日本即開始關注中國的考古發掘。辛亥以後，羅振玉、王國維等人避難京都，所帶去的甲骨及殷墟出土古器物引起內藤虎次郎、富岡謙藏等人的極大興趣。1913年9月，京都大學決定開設日本最早的考古學講座。因負責的濱田耕作留學歐洲，由朝鮮史家今西龍暫管。1916年，有日本考古學鼻祖之稱的濱田耕作博士從歐洲歸國，正式開設考古學講座，提出殷代金石過渡期說，並計劃發掘遺跡。[1] 東京的林泰輔、鳥居龍藏、大山柏等認為中國局勢複雜，應朝著中日合作的方向發展，較易著手。[2]而中國方面與此不謀而合，也在籌畫建立新型考古學機構。梁啟超雖稱「考古學在中國成為一種專門學問，起自宋朝」[3]，實則原來只有金石器物之學而無考古學。1908年，美國亞洲文藝會書記馬克密以中國古代文化稱盛，而古物為中外竊毀者多，在北京成立附屬於該會的中國古物保存會，呼籲保護中國文物，得到各國駐華公使、使館人員、歐美學者的熱烈響應，陸續入會者達三百餘人。民國以後，其活動除撰具禁燬中國古物廣告四處張貼外，還將保存辦法函達中國政府外交部，以期中外合力，共同保護。其實清末民初盜賣古物之風興起，與來華外人從事掠奪關係甚巨。[4]

隨著全球考古發現的重心逐漸東移，歐美日本等國相繼在中國展

---

1 梅原末治：《考古學六十年》，東京，平凡社1973年版，第27頁。

2 《學問の思い出——梅原末治博士を圍んで》，《東方學》第38輯，1969年8月。

3 梁啟超：《中國考古學之過去及將來——歡迎瑞典皇太子演說辭》，《晨報副刊》第53號，1926年10月26日。

4 《外交部譯發馬克密君保存中國古物辦法之函件》，《國學雜誌》第5期，1915年11月。

開考古探險和發掘活動，所獲成果震驚了國際學術界，也引起中國學者對於考古事業的關注，作為最高學府的北京大學尤為積極。1918年4月，治古物學的巨擘羅振玉抵京，北大校長蔡元培親往其下榻的燕臺旅館拜訪，請他擔任北大的古物學講座。羅以衰老不能講演婉辭，「並言近在日本京都亦不任教科，惟在支那學會中與漢學家時有討論而已。」蔡「乃與商專設一古物學研究所，請為主任教員，無教室講演之勞，而得與同志諸教員共同研究，並以研究所組織法及全國古物保存法請先生起草」。[5]羅先受後拒，最終只擔任後來成立的研究所國學門考古學通信導師。1921年，任職於中國政府農商部地質調查所的安特生在遼寧錦西沙鍋屯和河南仰韶村的發掘，標誌著中國近代田野考古學的誕生。[6]其成果和所使用的科學方法，很快引起胡適等北京大學新進學者的關注，他們積極支持安特生提出的為北大開設比較古物學課程的建議。[7]

1921年底，北京大學調整研究所結構，歸併為自然科學、社會科學、國學、外國文學四門，率先成立的國學門下設文字學、文學、哲學、史學、考古學5個研究室。[8]由於參與其事的新文化派諸人受歐美近代學術的影響，認識到「欲研究人類進行之過程，載籍以外，尤必藉資於實物及其遺跡」[9]，對於新興的考古學和風俗學尤其重視。籌設考古學研究室時，曾有意聘請國外學者擔任這一新學科的教授。為此，國學門主任沈兼士特委託留學京都大學的張鳳舉、沈尹默拜訪濱田耕作，瞭解情況，諮詢意見，請求指教。

5　《羅叔蘊先生來函》，《北京大學日刊》第154號，1918年6月4日。

6　陳星燦：《中國史前考古學史研究：1895-1949》，北京，生活·讀書·新知三聯書店1997年版，第90頁。

7　桑兵：《胡適與國際漢學界》，《近代史研究》1999年第1期。

8　《研究所國學門重要紀事》，《國學季刊》第1卷第1號，1923年1月。

9　《重要紀事》，《國學季刊》第1卷第4號，1923年12月。

這時京都大學的考古學在濱田的苦心經營下，已設陳列室三間，分別展出中國、日本、朝鮮、臺灣以及西洋、印度的考古資料。但東西兩京大學的考古學仍然附屬於史學，沒有獨立，學生也沒有專攻考古學的。濱田對於中國設置專門的考古學研究室十分高興，詳細介紹了日本東西兩京考古學的狀況，並根據其學養和經驗，對中國同行提出了全面意見和建議。他主張將考古學與美學相聯繫，不要僅僅作為史學的輔助研究；應預定計劃，以便將來成立獨立的考古學研究所；應視考古研究為自然科學，與理科的生物學相等；同時搜集中國和西洋的材料，進行比較研究，以免偏蔽。為此，要積極培養年輕而通外文的人才；設立教授、學生研究室和陳列、實驗、圖書室；多搜集中國文物，與外國博物館和大學進行交換；並開列了總價值千餘元的考古學應備書目，贈送京都大學出版的兩冊考古學報告。此外，他還認為：「西洋雖有許多考古學者，但多是歷史家兼的，所以言論總難得中。若請西洋人教，這一點要留意。芝加哥大學教授Laufer先生前於東方考古素有研究，著作也忠實，若能請他來，比請別人好。」[10]這對草創中的北大考古學有著十分重要的參考價值，後來該研究室的規劃設施顯然參照了這些意見。

1922年底，曾經代管過京都大學考古學講座的文學部史學科教授今西龍由日本文部省派來中國研究史學一年，北京大學趁機請其擔任朝鮮史特別講演，並聘為北大國學門考古學通信員。[11]在華期間，他除講授朝鮮史外，還分別為北大研究所國學門和史學會演講「關於中國考古學之我見」及「中國歷史裏邊的古文書學」[12]。不過，這時與

10 《張鳳舉先生與沈兼士先生書》，《北京大學日刊》第974號，1922年3月6日。

11 高平叔編：《蔡元培全集》第4卷，北京，中華書局1984年版，第287-288、309頁。

12 《研究所國學門通告》，《北京大學日刊》1165號，1923年1月26日；《史學會通告》，《北京大學日刊》第1208號，1923年4月9日。

北大考古學聯繫的外國學者不止於日本，被國學門同時聘為考古學通信員的還有法國漢學大家伯希和。

1923年，美國政府斯密蘇尼恩博物院調查古跡代表畢士博和芝加哥博物館東方人類學部長勞佛相繼來華考古探險，其間參觀了北京大學考古學研究室。該研究室雖已成立一年，因經費有限，未能充分設備，只有從古董商人手中收購的零星材料，頗難進行考古學研究，而又無力實行探險發掘，所以「本學門一年來關於考古學方面著力較多，而成績卻還不甚佳。中國之考古學向無系統，古物之為用，僅供古董家之撫玩而已。我們現在雖然確已逃出這個傳統的惡習範圍之外，知道用科學方法去研究，但為財力所限，未能做到自行發掘，實地考證的地步。研究室所用的材料，均由市儈輾轉購得，器物之出土地點及其相互聯屬之關係，均不易知，故進步甚難」[13]。

考古研究室成立之初，即擬組織一考古學研究會，以便與校外古物學會等機關聯絡，[14]後於1923年5月24日組織古跡古物調查會，由馬衡擔任會長，計劃先自調查入手，「並為發掘與保存之預備」，待經費落實，再組織發掘團。因同志尚少，未能積極進行。美國同行權威的遠道而來，尤其是畢士博據說預訂七、八年發掘計劃，勞佛則為考古名家，[15]令該會感到中國古代文明有待考古發現者多，「本會當此時機，更應努力進行，以期對於世界有所貢獻。」[16]於是廣泛徵求同志，以謀發展。其章程不僅要求網羅地質學、人類學、金石學、文字

13 《研究所國學門懇親會記事》（魏建功記），《北京大學日刊》第1337號，1923年11月10日。

14 《在北大研究所國學門委員會第一次會議發言》，高平叔編：《蔡元培全集》第4卷，第156頁。

15 有人稱勞佛為中國考古學最大的權威。參見岩松五良：《歐米に於ける支那學の近狀》，《史學雜誌》第33編第3號，1922年3月。

16 《北京大學研究所國學門紀事》，《國學季刊》第1卷第3號，1923年7月。

學、美術史、宗教史、文明史、土俗學、動物學、化學各項專門人才協力合作，還規定可在不以輸出發掘物品為條件的前提下接受外國財團與私人捐款（該會許可的復出品不在此限），以及與外國發掘財團交換物品。

考古學雖然是北大研究所國學門努力發展的重點之一，但為北大的財政拮据所困，難以著手。該會成立後，除了呼籲保護文物古跡並在北京附近做過幾次調查外，只有馬衡前往河南新鄭、孟津調查出土古物，經費還須校長另行專門撥款。[17]會員發展方面，似乎也不順利。1924年5月19日，古跡古物調查會召開會議，到會的會員共12人，為：葉瀚、李宗侗、陳萬里、沈兼士、韋奮鷹、容庚、馬衡、徐炳昶、董作賓、李煜瀛、鐸爾孟（Andre d'Hormon）、陳垣。這次會議決定更改會名為考古學會，修訂後的簡章規定，以「用科學的方法調查、保存、研究中國過去人類之物質遺跡及遺物」為宗旨，強調「與國內外同志團體之互相聯絡」，特別捐款則不限於外國。[18]此後直到1926年6月，情況仍無根本改善，國學門考古學研究室及考古學會主要還是收集或接受外界捐贈金石甲骨玉磚瓦陶等器物，製作拓本圖錄和照相。雖然先後派教授馬衡、徐炳昶、李宗侗和會員陳萬里調查河南新鄭、孟津出土周代銅器、大宮山明代古跡、洛陽北邙山出土文物、甘肅敦煌古跡以及參觀朝鮮漢樂浪郡漢墓發掘，[19]但除了後一項參觀活動外，其餘和近代田野考古學相比，還有相當大的距離。

---

17 《研究所國學門懇親會記事》（魏建功記），《北京大學日刊》第1337號，1923年11月10日。

18 《國立北京大學研究所國學門各會章程及紀事錄》，《晨報副刊》1924年6月17日。

19 《本學門開辦以來進行事業之報告》，《北京大學研究所國學門周刊》第24期，1926年8月。

二　意在結盟

如果說北京大學研究所國學門組織考古學會主要是為了謀求自身的發展，那麼日本東亞考古學會則從一開始就是為了與中國的相應機構結盟而成立。

考古重心東移，使得以中國為中心的東亞成為國際學術界關注的焦點。日本雖然國力漸盛，教育學術發展迅速，但在考古學這一特殊領域，受制於客觀條件，儘管發端甚早，進展卻不大。而風氣由歐化轉為東方主義，迫切需要學術上的解釋與表現。對於東亞探險考古活動大都由歐西學者主持，中國學者幾乎無關，日本學者貢獻也極少的狀況，濱田耕作等人感到十分遺憾。要想改變，就必須將考古發掘的現場擴展到日本以外，尤其是中國大陸。而在中國國內政局動盪，中日關係又日趨緊張之際，沒有中方的協助，這一目標顯然很難實現。

1920年代，日本借退還庚款之名舉辦東方文化事業，引起中國各地各界人士的極大關注，相互之間長期交涉競爭，紛紛加強對日本的交流。以此為契機，在政治與學術關懷的交相作用下，中日兩國學者積極開展合作。北京大學利用其首席國立大學的有利地位，從一開始便展開了強有力的角逐。1922年，胡適與蔣夢麟等人擬訂計劃，主張在中國國立大學和日本帝國大學互設中、日講座，提倡東方文化研究。[20]而中日學術協會的發起與此關係更為直接，可以說簡直就是東方文化事業的派生物。

該會成立於1923年10月14日，起因為年初北京大學校方召集任教於北大文科的留日出身的教授，如陳百年、張鳳舉、馬幼漁、周作

20 中國社會科學院近代史研究所中華民國史研究室編：《胡適的日記》，第395頁；中國社會科學院近代史研究所民國史組編：《胡適來往書信選》上冊，第257-258頁。

人、沈兼士、朱希祖以及在京都大學進修過的沈尹默等，商議日本對華文化事業。是年3月13日，周作人、張鳳舉前往日本公使館找吉田參事官晤談。剛好這時日本國學院大學教授田邊尚雄、京都大學教授今西龍、東京大學教授澤村專太郎等人相繼來北大講學或研究，與北大教授常有交流應酬，顯示了北大在中日學術交流中作為首席國立大學的重要地位。

9月，北大諸人與擔任北洋政府軍事顧問的著名「支那通」阪西利八郎中將及土肥原少佐相識，商議組織中日學術協會。中方以張鳳舉為幹事，日方以阪西為幹事，規定每月開常會一次。其實日方成員均非學者，其目的也不在於學術，而是鑒於北洋政府無望，想爭取與國民黨有淵源者搭橋過渡，以便與新政權接洽，將來談判時保留日俄戰爭所取得的權利。所以阪西在成立會上說：「我們怎麼配說學術二字，但是招牌卻不得不這樣掛。」[21]在此名義下，北京大學與日本教育視察團團長湯原、服部宇之吉及對支文化部的朝岡健等人多次就文化事業進行會談。可惜日方醉翁之意不在酒，後來因形勢發生變化，對北大失去興趣，該會活動維持了約一年時間，無形停頓，碩果僅存的只有由日方出資、北大出人合辦的天津中日學院。[22]但北大並未因此而放棄對東方文化事業的競逐，先是提議推舉王國維出任該事業計劃中的北京人文研究所主任，以抗拒聲望尚隆的研究系領袖梁啟超，意圖包攬[23]；後來又有鼓吹「將圖書館及人文研究所館長、所長歸校長兼理之說」[24]，引起校外學者的普遍不滿。

---

21 周作人：《苦茶——周作人回想錄》，第333-336頁。

22 魯迅博物館藏：《周作人日記》中冊，第300-406頁。

23 吳澤主編，劉寅生、袁光英編：《王國維全集・書信》，北京，中華書局1984年版，第394頁。此函所說，已出王國維各年譜及長編均誤以為請王出任北京大學國學門研究所主任。

24 陳智超編注：《陳垣來往書信集》，第209頁。

1920年代起，中國學術機構隨教育發展而增多，風氣轉移之下，與日本學術界的交往由原來以學者個人名義進行，逐漸變為有組織進行，如互贈書刊、邀請講學等。北大國學門借天時地利之便，積極活動，成為其中的要角。與北京大學國學門交換刊物的日本學術機構有東亞協會、日本考古學會、京都文學會、日本東洋協會學術調查部等。[25]繼今西龍之後，1923年，東京大學教授澤村專太郎、國學院大學教授田邊尚雄來華，在北京大學等處講演「東洋美術的精神」及「中國古代音樂之世界的價值」，北大國學門也聘請澤村為通信員。[26]今西龍和澤村還參加過國學門的活動。[27]東洋音樂史權威田邊尚雄據說是「在中國學術講演中，與人銘感最深的日本學者」之一，[28]他邊演講邊播放自己攜帶的「蘭陵王破陣曲」等幾種中國古樂唱片，很受聽眾歡迎。[29]

1925年1月，來華考察的東京美術學校教授大村西崖應邀在北大國學門講演「風俗品的研究與古美術品的關係」[30]。後來顧頡剛等人呼籲保護江蘇吳縣保聖寺的楊惠之塑像，即得到大村西崖的回應。他於1926年春專程前來考察，回國後寫成《塑壁殘影》一書，引起葉恭綽等人的關注，經過努力，終於修成保聖寺古物館，移像其中。1925年北大籌建東方文學系，固然出於研究日本的時勢需要，但也不無東

25 《北京大學日刊》第1504號（1924年6月25日）、1517號（1924年8月30日）。

26 《重要紀事》，《國學季刊》第1卷第4號，1923年12月；《周作人日記》中冊，第304、307-338頁；《魯迅全集》第14卷《日記》，北京，人民文學出版社1989年版，第454、455頁。

27 《研究所國學門懇親會紀事》，《國學季刊》第1卷第4期；《北大研究所國學門之懇親會》，《晨報》1923年10月1日。

28 長瀨誠：《日本之現代中國學界展望（下）》，華文《大阪每日》第2卷第8期，1939年4月。

29 《國文系教授會啟事》，《北京大學日刊》第1238號，1923年5月14日。

30 《研究所國學門通告》，《北京大學日刊》第1610號，1925年1月9日。

方文化事業這一背景的影響。

中日學術交流升溫和北大積極的對日態勢，使得急於找到合作夥伴的日本考古學者自然把目光投向這座中國的最高學府。1925年，濱田耕作和負責東京大學考古學研究室的原田淑人以及朝鮮總督府的小泉顯夫、原來滿鐵的島村孝三郎等人，鑒於日本考古學研究機構基礎不好，如東京大學的考古標本室很亂，也沒有什麼書，欲圖振興，希望與中國學者合作，以便參與殷墟等處的實地發掘。他們選中北大國學門的考古學會為合作對象。日本原有的考古學協會，不是由大學的專門考古學教授及其教研機構組成，與北大考古學會的性質不同。為了尋求對等，日方遂籌畫以東西兩京帝國大學的考古學機構及教授為核心，組織東亞考古學會。該會的發起人有擔任委員的服部宇之吉、狩野直喜、池內宏、羽田亨，常務委員濱田耕作、原田淑人，幹事島村孝三郎、小林胖生，[31]計劃將來擴充到所有公私立大學的考古學專任教官和研究室，但對大學以外的團體加入該會，鑒於中方的北大考古學會未予承認，暫不考慮。只是作為個人會員，則不論是否屬於其它團體，均一視同仁。其會則明確規定，以東亞各地的考古學調查研究為目的；如有必要，可與中國方面性質相同的機構聯盟。可見其預期目標即與北大考古學會結盟。濱田耕作在兩年後撰寫的紀念文章中對此明白宣示，不加隱諱。[32]

堅持以大學的專門學者與機構為限，很可能不僅表現了日本學者的自律，更反映了中國學者對於日方其它機構乘機插足以圖混水摸魚

31 《東亞考古學會會則》，引自吉村日出東：《東京帝國大學考古學講座の開設——國家政策と學問研究の視座から》，日本歷史學會編集：《日本歷史》1999年1月號。感謝京都大學岡村秀典教授提供此文。

32 濱田青陵：《東方考古學協會と東亞考古學會》，《民族》第2卷第4號，1927年5月。感謝狹間直樹教授特為複印此文見贈。

的警惕。因為在東亞考古學會的籌備及此後的活動中，日本的朝鮮總督府和外務省文化事業部起著重要作用，滿鐵和關東廳也積極介入。1916年，日本殖民當局在朝鮮京城設立博物館，開始為期5年的古跡調查事業計劃，主管機構為日本樞密院。在後來兼任古跡調查主任的關野博士的主持下，發掘樂浪郡漢墓，所得豐富寶藏令世界震驚。關野到歐洲訪問研究期間，濱田耕作和原田淑人出任調查委員。1921年，朝鮮總督府設學務局，將本來由樞密院管轄的朝鮮半島古跡調查事業移交該局負責，成立了古跡調查課，從事調查和保存。[33]1931年，以學術振興會為核心主幹成立的朝鮮古跡研究會，繼續朝鮮總督府古跡調查會的事業。[34]而關東廳和滿鐵，則積極參與了後來東方考古學會的考古發掘活動。

東亞考古學會於1925年秋組織完畢，但尚未召開正式成立大會，便直接尋求與北大考古學會結盟。當年9月下旬，濱田、原田乘再度發掘朝鮮樂浪漢墓之機相繼來華。這時中國各地的國學研究機構十分重視方興未艾的考古學，希望得到國際學術界的合作支持。濱田、原田等人與北京學術界廣泛交流意見，「以為東方考古學之研究，非中日兩國學術機關互相聯絡不易為功」，並舉行學術報告會，得到北京大學國學門考古學會的馬衡、沈兼士、陳垣以及朱希祖等人的積極回應，雙方決定合組東方考古學會。為此，日方首先邀請馬衡訪問朝鮮，參觀當時引起國際學術界矚目的樂浪郡漢墓發掘。

10月中旬，由研究地質、熱衷考古的大新礦業公司理事小林胖生墊付資助，馬衡由留學北京畿輔大學的智原喜太郎陪同翻譯，如約前

33 《大正十年度政務提要》，《朝鮮》第83號，1922年1月；編輯官藤田亮策：《樂浪の古墳と遺物》，《朝鮮》第120號，1925年5月；梅原末治：《考古學六十年》，第32-42頁。

34 梅原末治：《考古學六十年》，第159頁。

往朝鮮，先後參觀了樂浪郡漢墓、江西郡高勾麗時代的古墓壁畫和朝鮮總督府博物館，與京都大學教授天沼俊一、東京大學教授村川堅固、田澤金吾、朝鮮總督府博物館館長藤田亮策、小泉顯夫、京城大學預科校長小田省吾、教授名越那珂次郎、高田真治、黑田幹一、東京美術學校講師小場恒吉、新瀉高等學校教授鳥山喜一等交遊暢談。歸國後在北大國學門舉行演講會，報告此行收穫。[35]

在中日兩國考古學界彼此溝通之下，1926年6月，濱田耕作和東亞考古學會幹事島村孝三郎、小林胖生等來北京，雙方正式結成東方考古學協會。[36] 1926年6月6日，北大研究所國學門在公教大學召開第四次懇親會，小林胖生應邀出席，並發表關於其古代箭鏃收集和研究的演講。[37] 6月30日，以北京大學第二院為會場，召開了東方考古學協會的第一次總會即成立大會，中日雙方聯合舉行公開講演，並得到中日及歐洲學者的祝賀。其會則規定：該協會的目的在於交換知識，以謀求東方考古學的發達；研究結果將以日、中、歐三種文字發表；隔年於日中兩國輪流召開研究總會。[38]此外，選舉了委員、幹事。7月3日，東亞考古學會的日本人士歸國前在北京飯店設宴答謝中國學者，出席者有沈兼士、沈尹默、張鳳舉、徐旭生、陳垣、林萬里、羅庸、翁文灝、李四光、馬幼漁、朱希祖、裘子元、黃文弼、顧頡剛

---

35 馬衡：《參觀朝鮮古物報告》，《北京大學研究所國學門周刊》第1卷第4期，1925年11月。

36 《學問の思い出——原田淑人博士を圍んで》，《東方學》第25輯，1963年3月。據顧潮編著《顧頡剛年譜》，東方考古學會成立於1926年6月30日（第127頁。該書記為東亞考古學會，應為東方考古學協會）；濱田青陵：《東方考古學協會と東亞考古學會》，《民族》第2卷第4號，1927年5月。

37 《研究所國學門第四次懇親會紀事》，《北京大學研究所國學門月刊》第1卷第1號，1926年10月。

38 濱田青陵：《東方考古學協會と東亞考古學會》，《民族》第2卷第4號，1927年5月。

等，其中多數為與北大相關而熱衷於考古事業的學者，當是參與東方考古學協會的骨幹。[39]

按照雙方約定，1926年秋將在日本召開第二次總會，並藉此機會，舉行東亞考古學會成立大會，因預定出席的中方學者有所不便，耽擱下來。[40] 1926年11月，島村孝三郎等再度來北京，與中國考古學者協商，定於明年3月開會，並邀請中國學者派人赴會。[41] 1927年3月27日，在東京大學召開東亞考古學會成立大會及東方考古學協會第二回總會，同時舉行中日學者的公開講演會。中方講演者為北京歷史博物館編輯部主任羅庸、北京大學教授馬衡、北京大學研究所國學門主任沈兼士，講題依次為「模製考工記車制述略」、「中國之銅器時代」、「從古器款識上推尋六書以前之文字畫」，日方講演者濱田耕作、原田淑人、池內宏，講題為「支那之古玉器與日本之勾玉」、「漢人之繒絹」，池內原定講樂浪出土之封泥與朝鮮古史的重大事實，後因病未寫成文。另外擔任東亞考古學會及東方考古學會幹事的小林胖生也隨同趕赴東京。[42]

中國學者在東京參觀了帝室博物館、東洋文庫等學術機構，並訪問京都、奈良、大阪等地。4月上旬，沈兼士、馬衡、羅庸取道朝鮮歸國，途經漢城，[43]在兒島獻吉郎、高橋亨、以及小林、高田、森等日本學者的介紹陪同下，參觀了京城大學、朝鮮總督府博物館、李王職雅樂部，並到清雲洞觀看韓巫舞。其中李王職雅樂令中國學者們感慨萬千。聆聽了樂師們為中國學者演奏的7首具有代表性的雅樂作

39 《顧頡剛日記》1926年7月3日。感謝顧潮女士寄贈此條資料。魯迅也曾接到邀請，但辭不去（《魯迅全集》第14卷，第606頁）。裘子元時為教育部辦事員，好金石碑刻。

40 濱田青陵：《東方 考古學協會と東亞考古學會》，《民族》第2卷第4號，1927年5月。

41 《東亞考古學協會》，《文字同盟》第1號，1927年4月。

42 《東方考古學協會公開講演會》，《史學雜誌》第38編第6號，1927年6月。

43 《彙報：參觀》，《京城帝國大學學報》第2號，1927年5月。

品，中國學者一面談論「禮失而求諸野」，一面卻以「座中泣下誰最多？江州司馬青衫濕！」作為「聞雅」的報告，[44]此行沈兼士等人帶回有關考古、博物、圖書、繪畫、雕塑、建築、地理等印刷品共計78種，豐富了該所的文獻圖像資料，[45]

1927年夏秋，控制北京的奉系軍閥強行改組北京大學，企圖取消研究所國學門。葉恭綽在師生的請求下，向教育部長兼北大校長劉哲提出改組為國學研究館，葉出任館長，下設總務、研究、編輯三部，其研究部分為哲學、史學、文學、考古學、語言文字學、藝術及其它七組，導師增至29人。[46]

1928年4月28至29日，東亞考古學會在京都召開第二次總會，並舉行公開講演會，中方亦派北京大學國學館導師馬衡、劉復以及館長葉恭綽的代理闞鐸等人出席。會期第一天為東亞考古學會總會，於樂友會館召開，報告該會進行的事業，並觀看貔子窩發掘以及朝鮮慶州古跡調查實況的電影。次日上午到京都大學考古學研究室參觀貔子窩發現遺物，午後舉行公開講演。馬衡、劉復的講題分別為「戈戟之研究」、「新嘉量之校量及推算」，日方演講者高橋健和小川琢治（代法國學者 E.Licent 宣讀從天津寄來的論文）的講題分別為「日本上代の馬具より見たる大陸との交涉」、「Ordos 河畔に於ける舊石器時代遺跡並びに東蒙古に於ける新石器時代遺跡に關する調查報告」。[47]

1929年10月19日，東方考古學協會在北京召開第三回總會，並舉

44 天行：《僑韓瑣談》之三《清雲巫舞》、之四《雅樂》，《語絲》第134、137期，1927年6月4日、26日。

45 《研究所國學門通告》，《北京大學日刊》第2134號，1927年6月25日。

46 遐庵匯稿年譜編印會：《葉遐庵先生年譜》，同會1946年出版。另據日本《史學雜誌》第39編第5號（1928年5月）《北京に於ける考古學研究機關》，研究部分六組，無其它一組。

47 《東亞考古學會第二回總會》，《史學雜誌》第39編第6號，1928年6月。

行講演會，由濱田耕作、梅原末治、徐炳昶、張星烺分別演講「世界各國研究東亞考古學的現勢」、「Seythai 文化在歐亞考古學的意義」、「中國西北科學考查團考古工作之概略」、「中國人種中之印度日爾曼種分子」。[48]

在東方考古學協會的名義下，中日象徵性地共同進行了幾次考古發掘與調查的合作。1927年4月下旬至5月中旬，東亞考古學會和關東廳博物館聯合進行貔子窩發掘，東京大學原田淑人、田澤金吾、駒井和愛、宮阪光次、京都大學濱田耕作、小牧實繁、島田貞彥、關東廳博物館內藤寬、森修、朝鮮總督府博物館小泉顯夫、以及東亞考古學會幹事島村孝三郎、小林胖生等，中方的馬衡、陳垣、羅庸、董光忠中途前來參觀，並在其中一處親自發掘。所以濱田耕作稱此項發掘雖由東亞考古學會單獨進行，卻可以作為日中兩國學會親和的一個事例。將來北大考古學會和東亞考古學會不斷重複同樣的行為，則成立東方考古學協會的效果，將不僅體現於學會本身的事業。[49]

1928年10月東亞考古學會發掘牧羊城，北大考古學會派助教莊嚴前來參加發掘一周。作為還禮，1930年北京大學發掘河北易縣燕下都、老姥臺時，也請日方學者參加。雙方還協議互派留學生。從1928年起，日方每年一人，先後派到中國留學的有駒井和愛、水野清一、江上波夫、田村實造、三上次男。中方因經費困難等原因，派往日本的僅有1928年度的莊嚴。1930年3月，原田淑人由東方文化事業部出資，到北京大學和清華大學講學兩個月，具體擔任考古學課程的講授，[50]在清華還擔任講師，另外再與蔣廷黻、孔繁霱、劉崇鋐等人分

48 《東方考古學協會講演會》，《北京大學日刊》第2259號，1929年10月19日。

49 濱田青陵：《東方考古學協會と東亞考古學會》，《民族》第2卷第4號，1927年5月。

50 《史學系課程》，《北京大學日刊》第2237號，1929年9月23日；

任「西洋史家名著選讀」課程，[51]其間與北大、清華、燕京等大學及中央研究院史語所的學者廣泛交流，[52]原田是另一位給中國學人留下深刻印象的講演者，此行他在北大、清華等校舉行系列講演「從考古學上看古代中日文化關係」時，因前來聽講的學生人數太多，不得不換到大教室。[53]

三　分歧與影響

日方在東方考古學協會成立後表示：「考古學——特別是研究東亞考古學，實為東方諸學者所負一大人類義務。這是數千年棲息於此、有悠久傳統和眾多遺產的亞細亞民族的特權。日中兩國學者合組的東方考古學協會，可使此『亞細亞之光』於人類文化史上燦然生輝」，以此為該會存立的意義並預祝其未來的發展。[54]而中國學者顯然也有藉此光大本國文化和發展學術的期望。只是雙方對於如何利用這一共同機緣並發揮各自的作用，想法並不一致。

日方動議日中合組考古學機構，公開聲稱是「為促進東亞諸地的考古學研究，與各國特別是鄰邦中華民國考古學界增進友誼，交換知識」，實際上主要目的有二，一是利用合作名義，便於在中國境內進行調查發掘活動，尤其想參與舉世矚目的殷墟發掘。二是派遣留學生來華學習和考查。此舉與日本的大陸政策以及風尚轉向東方主義相吻合，因而得到日本政府的支持，其發掘考查及派遣留學生，均由外務

51 齊家瑩編撰，孫敦恒審校：《清華人文學科年譜》，第87-88頁。

52 《史學系通告》，《史學系教授會通告》，《北京大學日刊》第2341、2367號，1930年2月18日、3月21日。

53 《學問の思い出——原田淑人博士を圍んで》，《東方學》第25輯，1963年3月。

54 《東方考古學協會公開講演會》，《史學雜誌》第38編第6號，1927年6月。

省、關東廳和朝鮮總督府提供資助。東方考古學協會作為日本「對支文化事業」的一環，雖以「提攜日中兩國間的精神與文化」為目的，實際上日本官方一開始就視為「帝國政府的事業由帝國單獨實施」，只是鑒於該事業主要在中國境內進行，須與中國人合作，才要尊重中國朝野的希望和意向[55]。而中方雖然也有引進外國財力和技術的願望，以落實長期不能付諸實現的實地考古發掘設想，卻較少政府意願，並限於學術本身。因此，在東方考古學協會的旗號之下，雙方的不和諧時有表露。

首先，在名義上，東方考古學協會與東亞考古學會時有混淆。如1927年在東京舉行的大會，既是東方考古學協會第二次年會[56]，又是本應成立於前的東亞考古學會的第一屆總會。而1926、1929年的北京會議和1928年的京都會議，則分別為東方考古學協會的第一、三回總會和東亞考古學會第二回總會。[57]兩會的交錯和中日雙方各自強調與己關係密切的一面，使得社會上乃至學術界本身誤傳甚多。關於第一次貔子窩發掘的主辦者，1927年8月日本《史學雜誌》第38編第8號刊登消息《貔子窩の發掘》，聲稱係以東方考古學協會名義組織，橋川時雄主辦的《文字同盟》第3號報導此事，也以《中日學者合作之發掘古物》為題，稱「日方好古之士，與中國國立北京大學考古學會、國立歷史博物館代表陳垣、羅庸、董光忠、馬衡等四人共參其事」。「發掘所得，暫由京都帝大運回整理。俟整理後，運送北京一部分，交北大考古學會及歷史博物館陳列」。而後來日方撰寫報告書時，則

55 《大正十二年朝岡事務官ノ上海ニ於ケル文化事業談》，《東方文化事業關係雜件》，外務省外交史料館藏縮微膠捲分類號H-0-0-0-1。引自吉村日出東：《東京帝國大學考古學講座の開設——國家政策と學問研究の視座から》，日本歷史學會編集：《日本歷史》1999年1月號。

56 《新書介紹：考古學論叢》，《北平圖書館月刊》第1卷第5號，1928年9、10月。

57 劉復：《新嘉量之校量及推算》，《輔仁學誌》第1卷第1期，1928年12月。

以東亞考古學會和關東廳博物館的名義，並得到外務省文化事業部和關東廳的援助。報告書出版時也標名為「東亞考古學會的東方考古學叢刊甲種第一冊」。親歷其事的莊嚴後來回憶，組織東方考古學會除互相觀摩、交換學生外，還「互相參加兩國自己舉辦的考古發掘工作」[58]。濱田耕作專文介紹兩會的聯繫與區別，立意之一，當也在澄清誤會。

然而，名義上的不協調反映了雙方實際利益和態度的差異。在此期間，中日關係以及東方文化事業經歷了重大風波。1928年4月，日本第二次出兵山東，並於5月3日製造了濟南事變，東方文化事業總委員會中的中國委員鑒於日本暴行，全體辭職以示抗議。日方雖未廢止原訂計劃，但將發展重心轉到在國內創辦東方文化學院。[59]形勢逆轉之下，1929年北京的講演會雖仍使用東方考古學協會之名，可是預定發表演講的東方考古學協會委員朱希祖不僅未做報告，還於前一天分別致函北京大學考古學會和東方考古學協會，提出辭職，理由是：「本會自成立以來，進行重大事務，如發掘貔子窩牧羊城古物事件，均未經本會公開討論，正式通過，致有種種遺憾。委員僅屬空名，協會等於虛設。希祖忝為委員之一，對於上列重要事件，其原委皆不預聞，謹辭去委員，以明責任。」[60]由此可見，日方在中國東北進行的各項考古發掘，對其國內雖然堅持聲稱以東亞考古學會的名義，但在中國境內，為了活動以及與中國同行交流的方便，確實借用了東方考

58 莊尚嚴：《妙峰山・跋》，轉引自鄭良樹編著：《顧頡剛學術年譜簡編》，北京，中國友誼出版公司1987年版，第65頁。

59 黃福慶：《近代日本在華文化及社會事業之研究》，臺北，中央研究院近代史研究所專刊（45），1982年版，第156、178頁；山根幸夫：《東方文化學院の設立とその展開》，《近代中國研究論集》，東京，山川出版社1981年版。

60 《東方考古學協會委員朱希祖先生辭職書》，《北京大學日刊》第2260號，1929年10月21日。

古學協會的名義而未經雙方具體協商。朱希祖的辭職，代表了參與其中的中國學者對於日方誠意的懷疑和對其行為的強烈不滿。

不過，在學術範圍內，日方的參加者還能保持的學術良知與真誠，沒有憑藉武力進行掠奪性發掘，其活動以合同方式進行，必須有中國學者到場，且事後須返還發掘品，日方只保留照片。在合作的名義下，日本考古學界獨自舉辦的考古發掘順利進行，還趁機廣交中國學者，密切彼此關係，來華留學和訪問的日本考古學者學生因而獲見《宋會要》稿本、《皇明實錄》等珍稀秘笈，參觀中國學術機構在殷墟等地的發掘現場，甚至集體深入蒙古、綏遠、察哈爾，考察古長城和細石器文化遺跡，收集匈奴時代的青銅器。1930年4月來華留學的江上波夫，一年內先後到察哈爾、山東、旅順、綏遠、內蒙考察，活動完成，留學生活也告結束。[61]東方考古學協會解體後，東亞考古學會仍在中國境內進行了大量考古發掘活動，戰爭期間更有依靠軍部從事掠奪性探險發掘的劣跡，成為日本實行大陸政策的工具。[62]

東方考古學協會的組成及活動，對於中國現代考古學事業產生了影響。在此之前，從事考古活動的中國學者乃至來華進行探險發掘的多數歐美學者，大都半路出家，並非考古專門出身。濱田、原田等日本學者，曾在歐洲接受正規的考古學訓練，使用的方法十分精密，在樂浪漢墓發掘中實際運用，令前來參觀的中國學者頗受啟發，而「此種考古途徑，在我國尚未有人著手提倡也」[63]，促使中國的舊式金石學加速向近代考古學轉化。馬衡回國後即派國學門事務員董作賓赴上海請蔡元培組織殷虛和漢太學遺跡等處的發掘工作。以後又與北平研

61 《學問の思い出：江上波夫先生を圍んで》，《東方學》第82輯，1991年7月。

62 參見吉村日出東：《東京帝國大學考古學講座の開設——國家政策と學問研究の視座から》，日本歷史學會編集：《日本歷史》1999年1月號。

63 《新書介紹：考古學論叢》，《北平圖書館月刊》第1卷第5號。

究院攜手，親自擔任易縣燕下都考古團團長，發掘老姥臺。[64]

1926年10月，與北大國學門淵源甚深的廈門大學國學研究院「頃聞北京大學考古學會與日本東京京都兩帝國大學之東亞考古學會，共同組織一東方考古學協會，為國際的研究考古學機關」，要求校方「一面推舉代表，參加該會，一面由本校組織一發掘團」，聲稱：「非實行探險發掘，不足以言考古學的研究」，欲藉此使中國的考古學「於世界學術界中占一位置」。[65]後來又計劃與北京大學聯合進行風俗調查和古物發掘，「南方風俗則本校擔任調查，北方發掘則請北大擔任招待，如是既省經費，而事實上亦利便多多。」[66]

不過，中日雙方在東方考古學協會內部的分歧，最終還是削弱了日本對中國考古學的影響力，與之關係最為密切的北京大學考古學會，成就和影響反而不及清華研究院。日方重視北京大學國學門考古學會，原因之一，是後者在北京的考古學機關中具有官學至尊的地位，這被看重政府行為的日本學者認為是對華施加影響的有力支撐。與此相對，他們視美國系的清華學校國學研究院中的考古學機構為「私學」的代表。清華研究院以人類學講師李濟為主，設有考古學陳列室和考古學室委員會，由李濟擔任主席。[67]憑藉較多的資金以及和美國考古學家的有效合作，清華研究院的考古學穩步發展，成效明顯，後來成為中央研究院歷史語言研究所考古組的臺柱。該所成立時，主持北京大學研究所國學門考古學的馬衡曾主動提出想參加考古組，遭到傅斯年的拒絕。在傅的心目中，志同道合的理想人選是從事

64 傅振倫：《馬衡先生傳》，《傅振倫文錄類選》，北京，學苑出版社1994年版，第595頁。

65 《廈門大學國學研究院發掘之計劃書》，《廈大周刊》第158期，1926年10月9日。

66 《國學研究院成立大會紀盛》，《廈大周刊》第159期，1926年10月16日。

67 《北京に於ける考古學研究機關》，《史學雜誌》第39編第5號，1928年5月

過新興考古學的李濟而非金石學家馬衡。[68]在交往過程中，日方似乎察覺到開始的偏頗，注意加強與清華研究院等機構的聯繫，以圖調整彌補。但預期通過組建東方考古學協會達到參與殷墟發掘的目標，因其事屬中央研究院歷史語言所承擔，而該所負責人傅斯年素有「義和團學者」之稱，李濟等人又先此與美國的畢士博合作，日方雖曾通過來訪的北京圖書館金石學研究室研究人員劉節瞭解有關情況，並派梅原末治、內藤乾吉、水野清一、長廣敏雄等人前往參觀，[69]始終未能實際參與。

1920年代，中國學術界在疑古風潮的湧動下，對上古文獻大膽懷疑，而將信史的重建留待考古學事業的發達。早在1921年1月，胡適就宣佈其古史觀為：「先把古史縮短二三千年，從《詩三百篇》做起。將來等到金石學、考古學發達，上了科學軌道以後，然後用地底下掘出的史料，慢慢地拉長東周以前的古史。」[70] 1924年底，李宗侗（玄伯）在《現代評論》第1卷第3期發表文章，認考古學為解決古史的唯一方法。顧頡剛雖然指其「頗有過尊遺作而輕視載記的趨向」，但只是針對有史時代，總體上則承認其所說「確是極正當的方法」。[71]當時王國維以著名的二重證據法重建古史，得到中外學術界的極高讚譽。其實，王國維的所謂地下資料，仍是傳統金石銘文的繼續，而非正規的考古發掘，更不是實物形制研究。

北京大學研究所國學門自成立之日起，就認定實物與遺跡較載籍之於上古史更為重要，只是一直困於財政與技術，加上其中的專家還

---

68 杜正勝：《無中生有的志業——傅斯年的史學革命與史語所的創立》，《中央研究院歷史語言研究所七十週年紀念文集：新學術之路》，第33-34頁。

69 《北支史蹟調查旅行日記》，《東方學報》（京都）第7冊，1936年12月。

70 顧頡剛編著：《古史辯》一，上海古籍出版社1982年版，第22頁。

71 顧頡剛編著：《古史辯》一，第268-275頁。

有金石彝器的本行，遲遲未將考古發掘付諸實踐。在此期間，北京大學雖然在中國學術界與瑞典學者斯文赫定（Seven Hedin）聯合組織的西北考察團中扮演要角，仍然重採集輕發掘。與日本東亞考古學會的合作，本來未必不是良好機緣，可以在重建古史的活動中佔據重要位置。因為這恰好也是中國現代考古學從發端而初盛的時代。以成果卓著的殷墟發掘為代表的中央研究院歷史語言研究所而論，其觀念宗旨的淵源明顯由北京大學國學門、廈門大學國學院、中山大學語言歷史研究所一脈相承，但具體事業卻主要繼承清華研究院國學科，以至於後人不免誤解抹殺，將北大國學門視為單純疑古。而北大在實行考古發掘方面陷入困頓，其它原因之外，作為合作夥伴的以日本東西兩京帝大合組的東亞考古學會難辭其咎。正是在與之合作的過程中，北大坐失了天時地利的良機，最終不得不將首席國立大學在這一至關重要領域的應有地位拱手讓人。

第六章
陳寅恪與清華研究院

各民族相傳之上古史，大都有逐層增建的過程，如築塔，如積薪，時間越後，附加越多，虛偽成分越甚，真相反不易得。古史辨派的疑古理論，用於上古神話傳說大體不錯。其偏在於治古史時一味破壞，疏於建設，不能從偽材料中發現真歷史。陳寅恪研究蒙古史源流，層累迭加的一面也基本接受。然而，類似現象在近現代史中同樣大量存在，學人卻未予特別注意，使得不少以訛傳訛之事成為基本或重要依據。由此立論，並加以引申，不僅令史實失真，還往往導致對於時代風尚的錯誤觀念。關於陳寅恪與清華研究院關係的種種說法，即為顯著一例。

一　入院因緣

陳寅恪以無任何資歷著述的後進，而與梁啟超、王國維等名滿天下的大師同被聘為清華研究院導師，除自身功力使然，關鍵在於有力人物的推薦。對於推薦者目前有三說，即梁啟超、胡適、吳宓。陳哲三《陳寅恪先生軼事及其著作》持第一說：

「十五年春，梁先生推薦陳寅恪先生，曹（雲祥）說：『他是哪一國博士？』梁答：『他不是學士，也不是博士。』曹又問：『他有沒有著作？』梁答：『也沒有著作。』曹說：『既不是博士，又沒有著作，這就難了！』梁先生氣了，說：『我梁某也沒有博士學位，著作算是等身了，但總共還不如陳先生寥寥數百字有價值。好吧，你不請，就讓他在國外吧！』接著梁先生提出了柏林大學、巴黎大學幾位名教授對陳寅恪先生的推譽。曹一聽，既然外國人都推崇，就請。」[1]

牟潤孫大概是第二說的始作踴者，其《發展學術與延攬人才——陳援庵先生的學人風度》一文稱：

「清華辦國學研究院請胡適去主持，胡適推辭了，卻舉薦章太炎、梁任公、王靜庵、陳寅恪四位先生。四個人之中，大約只梁任公與胡氏有來往，其餘三人對胡不僅沒有交誼，而且論政論學的意見都相去很遠，而胡適之推薦了他們。在當時社會上，章、梁二人名氣最高；靜庵先生雖已有著作出版，一般人很多對他缺乏認識；寅恪先生更是寂寂無名，也未曾有一篇著作問世。如果以高級學位為審查標準，四位先生無一能入選。若憑著作，寅恪先生必被擯諸門外。胡先生這次推薦，雖遭太炎先生拒絕，梁、王、陳三先生則都俯就了，……胡適之援引學人與蔡孑民似乎不同。他介紹陳寅恪到清華研究院，請錢穆教北大本科，他的尺度的確掌握得很有分寸。」[2]

在此之前，牟氏說得較籠統，但有推測性分析：

1 《傳記文學》第16卷第3期。所記為藍文徵的追憶。

2 《明報月刊》第241期，1986年1月。

「聽說清華想辦國學研究院，去請教胡適，胡推薦這幾個人給清華。分析起來，一是因為北大沒有錢，清華則經費充足，所以清華能請而北大不能請。二是北大原有教員結成勢力，很排擠新人。陳垣靠沈兼士之力進入研究所國學門，而不能在本科作專任教授，就是一個證明。三是胡適對於梁啟超，可能認為他能對青年還有號召力，何況梁啟超也很捧胡。對王國維，則認為金文、甲骨文是一門新興的學問，而王氏造詣很高。對陳寅恪，則因為陳是出洋留過學，真正懂得西方『漢學』那一套方法的。」[3]

至於吳宓說，見其自編年譜：

「（民國十四年元月）清華國學研究院開始籌備，宓為主任。……研究院教授四位，已定王國維、梁啟超、趙元任。宓特薦陳寅恪。」[4]

三說之中，第一說時間、人物、地點均不合。梁與陳家可謂故交，[5]但陳寅恪是晚輩，又長期求學於歐美，對其學問人品，似無從瞭解；所謂德、法等國名教授推崇之語，沒有旁證。梁與陳所結識的歐洲學者，並非同一類型，前者多為思想哲人，後者則為東方學者或漢學家，擔任過陳氏課程者，與梁並不相識；除幾封信函外，當時陳尚無隻字面世。在此情況下，梁不會大拍胸脯，極力舉薦。此外，儘

3　《清華國學研究院》，《大公報》（香港），1977年2月23日。

4　吳宓著，吳學昭整理：《吳宓自編年譜》，北京，生活·讀書·新知三聯書店1995年版，第260頁。

5　陳寅恪：《讀吳其昌撰〈梁啟超傳〉書後》，《寒柳堂集》，第148-150頁。

管梁啟超此前10年間數次到清華演講，關係久密，1922年後又常在清華兼課，1924年清華研究院已決定聘他任教，但直到1925年2月22日，吳宓才持聘書赴天津訪梁，正式聘請。而該院決定聘陳寅恪，則在6天之前，即2月16日已由校長曹雲祥作出。[6]

第二說有一定根據。曹雲祥籌辦研究院之初，確曾與胡適磋商，並請他擔任導師。胡表示：「非第一流學者，不配作研究院的導師。我實在不敢當。你最好去請梁任公、王靜安、章太炎三位大師，方能把研究院辦好。」[7]梁與章是當時中國南北學術界的泰山北斗，儘管胡適對兩人的學問不見得從心底佩服，對梁尤有保留甚至批評，[8]但要號召天下，不能不有所藉重。至於王國維，卻是胡適衷心敬佩的第一流學者。王在學術圈內聲望極高，新舊各派均交口讚譽，但社會上名頭不響，尤其是政要大員們，對其所知甚少。據說王死後梁啟超曾請國務總理顧維鈞提出閣議，由北洋政府予以褒揚，「結果因為多數閣員根本不識『王國維』其人名姓，未被通過。」[9]

1922年，上海《密勒氏評論報》(The Week by Review) 舉辦徵求讀者選舉「中國今日的十二個大人物」的活動，每周公佈一次結果。

---

6 孫敦恒：《清華國學研究院紀事》，葛兆光主編：《清華漢學研究》第1輯，北京，清華大學出版社1994年版，第270頁。

7 藍文徵：《清華大學國學研究院始末》，張傑、楊燕麗選編：《追憶陳寅恪》，北京，社會科學文獻出版社1999年版，第79頁。

8 1929年2月2日，胡適在梁病故後於日記中記道：「任公才高而不得有系統的訓練，好學而不得良師益友，入世太早，成名太速，自任太多，故他的影響甚大而自身的成就甚微。近幾日我追想他一生著作最可傳世不朽者何在，頗難指名一篇一書。」這種看法胡適當年似乎有所流露，因而有傳聞在北京時，梁啟超來看望，胡只送到房門口，王國維來則送至大門口（胡頌平編：《胡適之先生晚年談話錄》，北京，中國友誼出版公司1993年版，第85頁）。

9 吳其昌：《王國維先生生平及其學說》，《子馨文在》第3卷《思橋集》，沈雲龍編：《中國近代史料叢刊》續編第81輯之808，臺北，文海出版社1981年影印，第484-485。

胡適對11月上中旬的兩次評選十分不滿，指責舉辦者「不很知道中國的情形」，並代擬了一分名單，其中第一組學者三人，為章炳麟、羅振玉、王國維，而將梁啟超列入影響近20年全國青年思想的第二組四人之中。《密勒報》選舉，梁、章、羅各得105、73、4票，王則一票未得。但在胡適看來，「章先生的創造時代似乎已過去了，而羅王兩位先生還在努力的時代，他們兩位在歷史學上和考古學上的貢獻，已漸漸的得世界學者的承認了。」[10]胡推薦此三人，順理成章。尤其是王國維的應聘，胡適顯然起了相當關鍵的作用。曹雲祥給王的聘約，係通過胡轉交，而王對清華的要求與顧慮，也由胡代為申訴。沒有胡的勸駕，王很可能依照對待北大先例，予以回絕。[11]

不過，清華聘請梁、王，是否全由胡的舉薦，亦有可疑。據梁啟超自稱，他也是該院的倡議者。[12]清華設立國學研究院，就學校言，是為了改變不通國文的公共形象，適應民族獨立意識漸強的時勢；就學術言，則隱含對抗北大國學門之意。在外界看來，「北大黨派意見太深，秉事諸人氣量狹小，其文科中絕對不許有異己者。而其所持之新文化主義，不外白話文及男女同校而已。當其主義初創時，如屠敬山等史學專家皆以不贊同白話文而被摒外間，有知其內容者皆深不以

10 《誰是中國今日的十二個大人物》，《努力周報》第29期，1922年11月19日。同年8月28日，胡適在日記中更加突出王國維：「現今中國學術界真凋敝零落極了。舊式學者只剩王國維、羅振玉、葉德輝、章炳麟四人；其次則半新半舊的過渡學者，也只有梁啟超和我們幾個人。內中章炳麟是在學術上已半僵了，羅與葉沒有條理系統，只有王國維最有希望。」（中國社會科學院近代史研究所中華民國史研究室編：《胡適的日記》，第440頁）。

11 耿雲志、歐陽哲生編：《胡適書信集》上冊，第353、356頁。與此相關的還有顧頡剛致函胡適，動議薦王國維入清華研究院之說（顧潮編著：《顧頡剛年譜》，第101頁）。以顧當時的地位及其與清華的關係，只能是表示態度，難以起到決定性作用。

12 1925年5月8日，梁啟超致函蹇念益，說：「院事由我提倡，初次成立，我稍鬆懈，全域立散」（丁文江、趙豐田編：《梁啟超年譜長編》，第1029頁）。

其事為然。」因此當日本打算以庚款在北京設立人文科學研究所，而北大欲獨佔所長及圖書館長位置時，不少人堅決反對，主張由柯劭忞或梁啟超擔綱。[13]其矛頭雖泛指北大，胡適亦為代表人物之一。牟潤孫將胡與其它人相區別，至少在這點上有所出入。

擔任清華國學研究院籌備主任的吳宓，即與胡結怨甚深。吳所辦《學衡》雜誌，鋒芒所向，主要就是提倡西方科學，其實不過旁門左道的胡適一派。雙方在古音研究、文學標準、上古史及新詩等一系列問題上多次正面衝突，大打筆墨官司。若干年後，胡適聽說由吳宓主持的《大公報・文學副刊》被停辦，還道：「此是『學衡』一班人的餘孽，其實不成個東西。甚至於登載吳宓自己的爛詩，叫人作嘔心！」[14]這在胡適是極少有的失態，可見積怨之深。

考慮到梁啟超也可能參與籌辦的醞釀，則胡適被問及，不過是諮詢性質。只有王國維是其力薦。清華研究院後來所請之人，均與北大無關，亦可反證。即使胡適的確在舉薦方面起到關鍵作用，所薦諸人也不包括陳寅恪。因為要瞭解這位無學位無著作無名望的「三無」學人，需要通過各種管道甚至親身接觸，而胡、陳二人並無此機緣。

剩下的只有吳宓說，較為可信。據《吳宓日記》，1925年2月9日他對校長曹雲祥提出委以研究院籌備主任名義，擁有辦本部分之事的全權，並負專責，得到允准。2月12日籌備處成立，次日吳宓即向校長曹雲祥和教務長張彭春提出聘請陳寅恪擔任研究院導師，獲准。兩天後，因議薪未決，「寅恪事有變化」。2月16日，吳宓與張鑫海

---

13 1926年4月25日張星烺來函，陳智超編注：《陳垣來往書信集》，第209頁。此事原擬推王國維為研究所主任，被王拒絕（吳澤主編，劉寅生、袁英光編：《王國維全集・書信》，第393頁）。或以為王所拒之職為北京大學國學所主任，誤（袁光英、劉寅生：《王國維年譜長編》，天津人民出版社1996年版，第414頁）。

14 中國社會科學院近代史研究所中華民國史研究室編：《胡適日記》手稿本，1933年12月30日。

（？）一起再見曹雲祥，終於談妥，即時發電聘之。[15] 1925年4月27日，陳寅恪致函吳宓，告以因「㈠須多購書，㈡家務，不即就聘」。吳歎道：「介紹陳來，費盡氣力，而猶遲惑，難哉！」[16]為此深怪陳「疏脫不清」[17]。後再函勸陳應聘，始得允諾。吳、陳在哈佛同學，據說與湯用彤一起，被譽為「哈佛三傑」，有瞭解其學行的條件。而且吳對陳的學問佩服之至。他後來說：「始宓於民國八年在哈佛大學得識陳寅恪，當時即驚其博學而服其卓識。馳書國內友人，謂『合中西新舊各種學問而統論之，吾必以寅恪為全中國最博學之人』。」[18]

吳宓說的可信，還在於他道出了能夠瞭解陳氏學問功底的重要途徑。與之經歷、看法相同或相似的，至少還有俞大維、傅斯年、姚從吾等人。俞是陳的姑表兄，為哈佛研究生院自費生，治學極聰明，到院兩月，即通當時最時新的數理邏輯學，其它各科皆憂。俞對吳在師友之間，曾為尚在本科的吳宓單獨講授《西洋哲學史大綱》，並引導其社交活動。陳寅恪還在歐洲時，俞就向吳介紹其「博學與通識，並述其經歷。宓深為佩仰。」陳到美後，又由俞為吳介見。「以後宓恒往訪，聆其談述，則寅恪不但學問淵博，且深悉中西政治、社會之內幕。」[19]可見吳對陳的印象，有俞先入為主的因素在。傅斯年則對剛到德國留學的北大同學毛子水說：「在柏林有兩位中國留學生是我國最有希望的讀書種子，一是陳寅恪，一是俞大維。」[20]另一位北大畢業派遣留德的姚從吾（士鼇）於1924年3月12日寫信給母校彙報留學

15 吳宓著，吳學昭整理注釋：《吳宓日記》第3冊，第4-6頁。

16 吳宓著，吳學昭整理注釋：《吳宓日記》第3冊，第19頁。

17 1925年5月4日吳宓致吳芳吉函，周光午選輯：《吳芳吉先生遺著續篇》，《國風》半月刊第5卷第11、12期合刊，1934年12月。

18 《吳宓詩集・空軒詩話》，引自吳學昭《吳宓與陳寅恪》，第79頁。

19 吳宓著，吳學昭整理：《吳宓自編年譜》，第188頁。

20 毛子水：《記陳寅恪先生》，《傳記文學》第17卷第2期。

情況，介紹在柏林的中國留學生，如羅家倫、陳樞、及俞大維、傅斯年等，稱後二人「博通中西，識邁群流」，對陳寅恪尤為推崇，指其：

> 「能暢讀英法德文，並通希伯來、拉丁、土耳其、西夏、蒙古、西藏、滿洲等十餘國文字，近專攻毗鄰中國各民族之語言，尤致力於西藏文。印度古經典，中土未全譯或未譯者，西藏文多已譯出。印度經典散亡，西洋學者治印度學者，多依據中國人之記載，實在重要部分，多存西藏文書中，就中關涉文學美術者亦甚多。陳君欲依據西人最近編著之西藏文書目錄，從事翻譯，此實學術界之偉業。陳先生志趣純潔，強識多聞，他日之成就當不可限量也。又陳先生博學多識，於援庵先生所著之《元也里可溫考》、《摩尼教入中國考》、《火祆教考》、張亮丞先生新譯之《馬可孛羅遊記》均有極中肯之批評」。

此函載於1924年5月9日《北京大學日刊》第1465號，是當時國內公開見到關於陳寅恪的重要信息。

俞、傅、姚、吳等人當時地位不高，卻極為重要。一則由於胡適一派提倡科學方法，使融貫中西的留學生在社會上居於有利位置，姚從吾後來得到陳垣的幫助獲取哈佛燕京社資助，便是由於後者看重其學習地道的西方史學方法和以外文專攻蒙古史，可補中國舊學者的不足；二則四人在留學生中均屬出類拔粹之輩，如傅斯年，在北大時既是學生中的第一舊學權威，又是新文化運動的領袖，至少對同輩人很有號召力。得到他們的推重，長輩的大師們就容易首肯。陳垣是被歐洲和日本漢學界公認的世界級學者，陳寅恪能夠對其力作提出中肯的批評而為專攻同行的姚從吾讚賞，在位居中國學術中心的北大當有積極反響。從未踏足國門之外的古史辨派發端者顧頡剛，在姚從吾函發

表一個多月後對學生演講國學大勢，區分當時國學研究者為五派，考古學派的代表是羅振玉、王國維，地質學派的代表是丁文江、翁文灝、章鴻釗，學術史派的代表是胡適、章炳麟、梁啟超，民俗學派的代表是周作人、常惠，而將陳寅恪和伯希和、斯坦因、羅福成、張星烺、陳垣等中外學人並列為東方古言語學及史學派，依據當來自姚函或其它留德同學的私信。[21]

此外，極少有音韻學專論的陳寅恪，不僅後來寫過《四聲三問》、《東晉南朝之吳語》等名篇，還在歐洲留學之際，就發表過關於中國古音的高論。1922年，在巴黎大學治實驗發音學的李思純游柏林，與陳寅恪討論中國古語無純粹a音問題，「陳君慨然謂世界古語多a音，中國不能自外。」李「頗承認其言」。[22]而汪榮寶在北大《國學季刊》載文《歌戈魚虞模古讀考》，以相同結論引起語言學界關於古音學的第一次大辯論，時間尚在一年之後。加上吳宓等人歸國後在各院校研究機構擔任要職，極力推崇之下，不僅使陳寅恪得以和梁啟超、王國維、趙元任等人的身份持平，更造就了順利發展的環境因素。儘管如此，要說服校方接受沒有任何資格證明的陳寅恪，還是讓吳宓「費盡氣力」，則世俗眼光依然起作用。

二　師生名分

陳寅恪後來名震海內，桃李滿天下，清華研究院的學生都尊之為師。然而，這只是廣義而言。嚴格說來，依照該院制度，可以說無一人是陳的嫡傳。

---

21 1924年7月5日與履安信，顧潮編著：《顧頡剛年譜》，第96-97頁。

22 李思純：《讀汪榮寶君〈歌戈魚虞模古讀考〉書後》，《學衡》第26期，1924年2月。

清華研究院「學生研究之方法，略仿昔日書院及英國大學制度，注重個人自修，教授專任指導，分組不以學科，而以教授個人為主。」其課程分普通演講和專題研究兩種，後者為學生專門研究學科，共23類，即經學、小學、中國史、中國文化史、中國上古史、東西交通史、史學研究法、中國人種考、金石學、中國哲學史、儒家哲學、諸子、宋元明學術史、清代學術史、中國佛教史、佛經譯本比較研究、中國文學史、中國音韻學、中國方言學、普通語音學、東方語言學、西人之東方學、中國音樂考。「學生報考時，即須認定上列任何一類，為來校後之專門研究，考入後不得更改。本院開學日，各教授將所擔任指導範圍公佈，學生與導師自由交談，就志向興趣學力所近，於該範圍擇定研究題目為本學年專門研究」[23]。

考慮到教授與學生的專精和興趣不免重複，該院章程第六項「研究方法」特規定：「教授所擔任指導之學科範圍，由各教授自定。俾可出其平生治學之心得，就所最專精之科目，自由劃分，不嫌重複；同一科目，盡可有教授數位並任指導，各為主張。學員須自由擇定教授一位，專從請業，其因題目性質，須同時兼受數位教授指導者亦可為之；但既擇定之後，不得更換，以免紛亂。」[24]由此可見，該院學生在考試前必須確定自己將入哪位先生門下受業。

清華研究院共有教授4人，講師1人，助教3人，教授和講師可以招生。1925和1926年，各人所擔任的指導學科如下：王國維：經學、小學、上古史、金石學、中國文學；梁啟超：諸子、中國佛學史、宋元明學術史、清代學術史、中國文學、中國文學史、中國哲學史、中國史、史學研究法、儒家哲學、東西交通史；趙元任：現代方言學、

---

23 《研究院現狀》，《清華周刊》第408期。

24 《清華周刊》第360期。

中國音韻學、普通語言學、中國樂譜樂調、中國現代方言；陳寅恪：年曆學、古代碑誌與外族有關係者之研究、摩尼教經典迴紇譯本之研究、佛教經典各種文字譯本之比較研究、蒙古、滿洲書籍及碑誌與歷史有關係者之研究；李濟：中國人種考。[25]

據該院頒佈的「選考科目表」，報考的專修學科即前引之專題研究的23類，其中經學、小學、中國上古史、金石學為王國維指導，中國音韻學、中國方言學、普通語音學、中國音樂考為趙元任指導，中國人種考為李濟指導，佛經譯本比較研究、東方語言學、西人之東方學為陳寅恪指導，其餘11類為梁啟超指導。考試門類包括經學甲乙、小學甲乙、中國史甲乙、中國哲學甲乙、中國文學甲乙、普通語音學、聲學、數學、心理學、世界史、統計學、人類學、西洋哲學、樂譜知識及英法德日等外國語（英法德又各分甲乙）。每位考生所選專修學科，均須包括6門考試科目。這些規則，從該院創立直到解散，雖然其間人事變動，卻始終沒有更改。[26]據統計，1925、1926兩年該院學生所選專修學科範圍如下：

以上共17類，與規定科目相比較，其中目錄學為後來增設，中國音樂考、中國音韻學、中國方言學、普通語音學、佛經譯本比較研究、東方語言學、西人之東方學等7類無人報考，這7類均為趙元任和陳寅恪的指導範圍。[27]

25 《清華周刊》第351、408期；《國學論叢》第1卷第1號，1927年6月。另據《清華周刊》第352期《講師指導範圍》，李濟的具體指導題目為：「一、北方民族漢代之程序。二、族譜之興廢與人種之變遷。三、各省城牆建築年月考。四、各省廢城考。五、雲南人文考。六、中國人之鼻型。七、頭形之遺傳。八、金之沿革。」

26 《研究院學生招考規程》，《清華周刊》第374期、441期。

27 《本院學生專修學科範圍統計》，《清華周刊》第408期。

年份 / 選修人數 / 學科類別	1925	1926
小學	9	6
中國文學史	1	4
經學	4	3
中國哲學史	1	3
宋元明學術史	2	3
諸子	1	3
中國史	4	2
儒家哲學	2	2
中國上古史	2	2
史學研究法	1	2
中國文化史	1	2
清代學術史	1	1
金石學		1
中國人種考		1
東西交通史	1	1
中國佛教史	1	
目錄學		1

依照規定，每一專修學科應考6門課程，由各科導師預先設定，「考生報考之時，應先自問所擬研究之專題屬於本表中某科之範圍，即行擇定該科，然後應考本表中該科下所指定之六門，決不可倒因為果，妄測各門內容題目之難易，希冀考取，因而改定專研之學科及題目。」儘管院方特意聲明：「實則分配均勻，各門之難易皆相等」，但考生的知識結構畢竟受時代局限，不得不有所權衡取捨。

該院1925、1926年共錄取學生60人（含備取6人），以母校計（不含1926年度備取生4人），從私人受業者15人，東南大學畢業8人，北大3人，北師大、上海南方大學、山西大學、無錫國學專學館各2人，南開大學、上海國民大學、湖南群治大學、南京高師、成都高師、湖南高師、兩湖師範、直隸高師、武昌師大、湖南省一師、河南公立初級師範、東京成城中學、奉天公立文學專門學校、北京通才商業專門學校、天津公立工業專門學校、湖南私立達材法政專門學校各1人，無校籍7人。[28]以職業論（含1926年度備取生），中學校長2人，中學教員27人，家庭教師3人，教育局長及職員2人，小學校長1人，勸學所長1人，圖書管理人員2人，報館雜誌編輯2人，政界1人，大學高師畢業5人，大學專門肄業11人，師範畢業1人，清華學校畢業3人。[29]

考生中不少人的外語程度不高。在全部23類專修學科中，須考試外語者共10類，其中佛經譯本比較研究、東方語言學要求4門外語，東西交通史、西人之東方學3門，中國人種考、中國音韻學、中國方言學、普通語音學2門，中國佛教史、中國音樂考1門。1925、26兩年間，上述各門只有東西交通史每年錄取1人，中國佛教史1925年錄取1人，中國人種考1926年錄取1人，其餘均空缺。陳寅恪擔任的3門專修學科，兩門要求考4門外語，1門要求考3門外語，儘管校方規定一種外語的甲乙算兩門，但對於當時的考生，會兩種以上外語者已是鳳毛麟角，懂外語而欲其有興趣學治國學，更加難得。

陳寅恪雖於1925年2月即由清華研究院決定聘請，6月覆函同意應聘，明春到校，實際上遲至1926年7月8日才到任。其羈留歐洲，一為

---

28 《民14錄取研究院新生母校表》，《民15錄取研究院新生母校表》，《清華周刊》第416期，1927年10月14日。其中1925年度錄取的楊鴻烈因經濟困難當年未入學，1926年度入學，計算時實際重複1人。

29 《研究院紀事》，《國學論叢》第1卷第1號，1927年6月。

購書，一因家務。早在1923年，陳在《與妹書》中就表示：

> 「因我現必需之書甚多，總價約萬金，最要者，即西藏文正續藏兩部及日本印中文正續大藏，其它零星字典及西洋類書百種而已。若不得之，則不能求學。我之久在外國，一半因外國圖書館藏有此項書籍，一歸中國，非但不能再研究，並將初著手之學亦棄之矣。我現甚欲籌得一宗鉅款購書，購就即歸國。此款此時何能得，只可空想，豈不可憐。」[30]

此願望兩年後仍未能實現。陳到校的前13天，該院第一屆學生已經舉行了畢業典禮。其中有15人根據章程規定，申請留校繼續研究一年，獲得批准，但後來實際註冊者僅7人。這一屆畢業生共29人，除繼續留校的7人，其餘22人連陳寅恪的課也沒有聽過。1926年8月研究院議決錄取新生，本年度正考、補考、連同上屆未入學者，共有新生29人。陳寅恪雖於7月歸國到校，但該院新生招考於5月已經進行，據選定科目，仍無人投考其門下。不過，陳在清華研究院還擔任普通演講課程，先開設「西人之東方學之目錄學」，1927年後又加授「梵文」一科。此類課程「所講或為國學根柢之經史小學，或治學方法，或本人專門研究之心得」。開始規定所有普通演講課程，「凡本院學員，均須到場聽受」。後來門類增多，改成「為本院學生之所必修，每人至少選修四門。由教授擇定題目，規定時間，每星期演講一次或兩次。範圍較廣，注重於國學上之基本知識。」[31]該院普通演講先後開過9門，至少部分學生選修了陳的課程。

1927年6月2日，王國維自沉於昆明湖，這時當年的招考章程已經

---

30 《學衡》第20期，1923年8月。

31 《國學論叢》第1卷第1號，1927年6月。

頒佈。上屆學生除一人中途退學，一人後來補齊成績外，合格畢業者30人，其中11人申請留校繼續研究。8月初，在陳寅恪缺席的情況下，該院教務會議決定錄取新生11人，加上1925、1926年錄取而未入學的兩人，以及留校生，共有學生24人。本來以王國維名義招入的學生不得不改由他人分擔指導，或改換研究題目。同時，該院將第一年畢業的王氏弟子余永梁聘為助教，以繼承王的甲骨文鍾鼎文絕學，並添聘通信指導員和講師。

不過，王國維缺陣引起研究院學術權威地位的動搖，不是輕易能夠補救。加上梁啟超長期因病不能到校上課，師資份量明顯減弱。1927年10至11月，遂發生因要求添聘教授而起的風潮。儘管此事背後另有權力鬥爭的伏線，最終迫使校長曹雲祥和發難的大學部教授朱君毅（教育系主任，吳宓的摯友，後到廈門大學任教）、研究院學生王省辭職退學，但增聘教授以鞏固權威之事也加緊進行。梁啟超考慮過章太炎、羅振玉和張爾田，前者創建時即已提出而遭拒絕，後檪「曾以私人資格托友人往詢，章以老病且耳聾辭，不願北來。」以後該院雖「決擬聘章太炎為教授」，但考慮到校評議會不能通過，沒有提出，並委託陳寅恪於赴滬途經天津時向梁啟超說明及互商辦法。[32]直

32 陳守實：《學術日錄[選載]．記梁啟超、陳寅恪諸師事》1928年2月8日、22日，《中國文化研究集刊》第1輯，復旦大學出版社1984年版；劉桂生、歐陽軍喜：《陳寅恪先生編年事輯補》，王永興編：《紀念陳寅恪先生百年誕辰學術論文集》，第433頁。據吳其昌《梁任公先生晚年言行記》：梁「命其昌輩推舉良師，其昌代達諸同學意，推章太炎先生、羅叔言（振玉）先生。先師歡然曰：『二公，皆吾之好友也。』……其昌因奉校命，北走大連，謁羅先生於魯詩堂，南走滬，謁章先生於同孚里第。」「初時羅章二先生均有允意，章先生拈其稀疏之須而笑：『任公尚念我乎！』且有親筆函至浙報『可』。然後皆不果。羅先生致余書，自比於『爰君入海』，章先生致余書，有『衰年懷土』之語。」（《子馨文在》第3卷《思橋集》，沈雲龍編：《中國近代史料叢刊》續編第81輯之808，臺北，文海出版社1981年影印，第449-450頁）

到1928年度的新生招考，該院仍繼續沿用原有規程。評議會雖議決「範圍應縮小，應就教師所願擔任指導之範圍招生，各科人數亦應酌情限制」，但選考科目一切照舊，只是命題方面，過去由王國維擔任部分改由梁啟超負責。

是年該院有畢業生22人，其中10人留校繼續研究，另招新生3人。由於王故梁去（梁於1928年6月辭去清華一切職務），而趙元任「擔任功課極少（新舊制均無課，僅每周研究院演講吳語一小時）」[33]，陳寅恪不得不擔起重任，無論是否正式弟子，也要負指導之責。加上該院規定，同一科目，教授可以分任而主張不同，學生也可由幾位教師同時指導，而陳又博通古今中外，尤其對魏晉至明清的歷史研究極深，雖因選科太專、考項太難而無人敢於報考，進院後的學生卻時有請益。如陳守實研究明史，為梁啟超弟子，卻對陳欽佩之至。有的則受其影響調整研究領域，如吳其昌在院三年，隨梁啟超研究宋代學術史，後在該院所辦《國學論叢》第2卷第1號發表《殷周之際年曆推證》，又著《金文曆朔疏證》，顯然與這時已代生病的梁啟超主持該論叢的陳寅恪有關。研究院結束後，陳寅恪還向陳垣力薦吳。[34]所以，1928年6月以後留院的學生，無論是否陳氏門下，都受過其教益。但從各人的選題及後來的研究方向看，仍然無人直接投考陳門。學術界公認可能繼承其衣缽者，都是研究院以後的學生。

---

33 《行有餘力，則以學琴》，《清華周刊》第415期。

34 1929年9月13日陳寅恪來函，陳智超編注：《陳垣來往書信集》，第373頁。錢穆1953年致函徐復觀稱：「昔在北平吳其昌初造《金文曆朔疏證》，惟陳寅恪能見其蔽，而陳君深藏，不肯輕道人短長，因此與董君同事如此只久，而終無一言相規，則安貴有賢師友矣！所謂老馬識途，貴在告人此路不通，則省卻許多閒氣力。胡氏之害在意見，傅氏之害在途轍，別有一種假癡聾人，亦不得辭後世之咎耳。」（《錢賓四先生全集》第53冊，第331頁）。

三　講學與研究

陳寅恪被譽為教授的教授，當在清華研究院結束之後。在此期間，他的學問雖好，名氣卻不夠大。而一般人恰好是根據名氣而非學問來衡量學者的地位，重耳學而輕眼學，學術界也鮮有例外。

清華研究院所出各種文書，導師的排名一般是王國維、梁啟超、趙元任、陳寅恪。據說王位居首席是由於梁的謙讓與推崇，吳其昌回憶道：「先生之齒，實長於觀堂先師，褒然為全院祭酒。然事無鉅細，悉自處於觀堂先師之下。」[35]而陳屈居末席，則並非由於他到校最晚。陳的輩分較梁、王低，稱梁為「世丈」。他所擔任的指導科目，固然無人報考，就連主講的兩門普通演講課程，能夠心領神會者也是寥寥無幾。牟潤孫這樣描述道：

> 「當時梁啟超名氣很高，許多學生都爭先恐後圍繞著他。梁很會講書，才氣縱橫，講書時感情奔放，十分動人。王國維的研究工作，雖然作的很篤實，但拙於言詞，尤其不善於講書。在研究院中講授《說文》和《三禮》，坐在講堂上，神氣木訥，絲毫不見精彩。……一般研究生對他並不欣賞，很怕聽他的課。」「另一位導師陳寅恪，剛從國外回來，名氣不高，學生根本不知道他學貫中西，也不去注意他。陳在清華大學講書，專講個人研究心得，繁複的考據、細密的分析，也使人昏昏欲睡，興味索然。所以真正能接受他的學問的人，寥寥可數。……王、陳二人既然門可羅雀，在研究院中日常培著他們的只有兩位助教」。

35 《梁任公先生晚年言行記》，《子馨文在》第3卷《思橋集》，第449-450頁。

據牟潤孫分析：

> 「總起來看，梁、王都在研究院中有影響，而陳則幾乎可以說沒有。推想起來，大約由於那時陳講的是年代學（曆法）、邊疆民族歷史語言（蒙文、藏文）以及西夏文、梵文的研究，太冷僻了，很少人能接受。」[36]

此話前半未必盡然，後半卻不無道理。

陳寅恪在清華研究院所講西人之東方學之目錄學和梵文（1928年度改講梵文文法和唯識二十論校讀），前者「先就佛經一部講起，又擬得便兼述西人治希臘、拉丁文之方法途徑，以為中國人治古學之比較參證」[37]。學生的普遍感覺是聽不懂。姜亮夫回憶道：

> 「陳寅恪先生廣博深邃的學問使我一輩子也摸探不著他的底。他的最大特點：每一種研究都有思想作指導。聽他的課，要結合若干篇文章後才悟到他對這一類問題的思想。……聽寅恪先生上課，我不由自愧外國文學得太差。他引的印度文、巴釐文及許許多多奇怪的字，我都不懂，就是英文、法文，我的根底也差。所以聽寅恪先生的課，我感到非常苦惱。」

陳的梵文課以《金剛經》為教材，用十幾種語言比較分析中文本翻譯的正誤。學生們問題成堆，但要發問，幾乎每個字都要問。否則

36 《清華國學研究院》，《大公報》（香港）1977年2月23日。

37 《教授來校》，《清華周刊》第359期。汪榮祖《陳寅恪評傳》（南昌，百花洲文藝出版社1992年版）稱其在清華研究院首開課程為佛經翻譯文學，實該課程為清華大學時期所開設。

包括課後借助參考書，最多也只能聽懂三成。[38]藍文徵也說：

> 「陳先生演講，同學顯得程度很不夠。他所會業已死了的文字，拉丁文不必講，如梵文、巴釐文、滿文、蒙文、藏文、突厥文、西夏文及中波斯文非常之多，至於英法德俄日希臘諸國文更不用說，甚至連匈牙利的馬劄爾文也懂。上課時，我們常常聽不懂，他一寫，哦！才知道那是德文，那是俄文，那是梵文，但要問其音，叩其義，方始完全瞭解。」[39]

對於這些不解其義的課，學生歎服其高深而不免盲目，說是敬畏較佩服更加妥貼。

一般而論，清華研究院學生的程度已達到相當水準。該院入學考試在當時出名的極難，以補考資格入學的姜亮夫所考內容為例，總共分三部，第一部普通國學，以問答形式，不限範圍，包括十八羅漢的名字、二十幾個邊疆地名及漢語言學、哲學思想史等。第二部作文，由梁啟超出題《試述蜀學》，另有王國維所出有關小學的題目。第三部才是正式選考的6門課[40]。但學術畢竟有境界高下，對於他們，高深的學問仍有待於發蒙。據姜亮夫說，該院幾位先生的課，除陳寅恪的聽不懂外，對李濟的考古學也不喜歡聽，以致後來十分懊悔，發奮出國補學；對王國維的課則要到畢業出來教書研究後才越來越感到幫助很大；而當時「最受益的是梁任公先生課」；從趙元任處「也得益非淺」。梁的普通演講為儒家哲學和歷史研究法，一度為適應形勢需要，還改講《從歷史到現實問題》第1至第5講《經濟制度改革新問

38 姜亮夫：《憶清華國學研究院》，王元化主編：《學術集林》卷一，第237-239頁。

39 陳哲三：《陳寅恪先生軼事及其著作》，《傳紀文學》第16卷第3期。

40 《研究院學生招考規程》，《清華周刊》第441期，1928年5月18日。

題》；趙所講為音韻練習，均屬於基礎性質，而王、陳的講授則很專深。以學生程度論，接受梁、趙表淺之新較領悟王、陳不著痕跡之新要容易得多。所以，他們印象最深的是梁啟超的辨偽及其經常運用當代日、美、英等國人士關於各種問題的見解，和趙元任所講描述語言學與傳統聲韻考古學的差異極大。

梁啟超的名氣大於學問，當時即成公論。對其學問，功力越深者評價似越有保留。他在研究院多次對學生講演，吳宓聽講「指導之範圍及選擇題目只方法」後，以為「語多浮泛，且多媚態，名士每不免也。」[41]其在清華講演「王陽明知行合一之教」，研究院、大學部和舊制學生紛紛前往聽講，反應相當熱烈。[42]但講辭在《國學論叢》創刊號發表後，日本京都大學的倉石武四郎在《支那學》第4卷第3號（1927年10月）撰文評介《國學論叢》，對其中刊載的研究生論文頗有好評，唯獨對卷首梁啟超的文章相當不滿，認為梁以通俗演講聊為應付，應予整頓。這一點梁本人也有相當的自覺，坦承「啟超務廣而荒，每一學稍涉其樊，便加論列；故其所述著，多模糊影響籠統之談，甚者純然錯誤」，並以此留作愛女箴言：「吾學病愛博，是用淺且蕪，尤病在無恒，有獲旋失諸。百凡可效我，此二無我如。」[43]

但梁啟超又有自己的特長，一則博學，雖不深通，已強過一般學人；二則氣量寬洪，能容人；三則有號召力和影響力；四則有學問的品味和鑒賞力，雖做不出，卻看得出。他向研究院學生推崇王國維道：

---

41 吳宓著，吳學昭整理注釋：《吳宓日記》第3冊，第72頁。吳宓對於該院事務，相比之下與梁啟超的共識反而較多。

42 齊家瑩編撰，孫敦恒審校：《清華人文學科年譜》，第43頁。

43 《清代學術概論》，朱維錚校注：《梁啟超論清學史二種》，上海，復旦大學出版社1985年版，第73頁。對於梁氏學問的粗淺博雜，胡適、周善培、容肇祖等人均有所議論。

「教授方面，以王靜安先生為最難得。其專精之學在今日幾稱絕學，而其所謙稱為未嘗研究者，亦且高我十倍。我於學問未嘗有一精深之研究，蓋門類過多，時間又少故也。王先生則不然。先生方面亦不少，但時間則較我為多，加以腦筋靈敏，精神忠實，方法精明，而一方面自己又極謙虛，此誠國內有數之學者。故我個人亦深以得與先生共處為幸，尤願諸君向學親師，勿失此機會也。」

對於輩份較晚的陳寅恪也表示欽佩，告誡研究生選題切忌空泛過大，「與其大而難成，孰若其小而能精。例如陳先生寅恪所示古代碑誌與外族有關係者之類，此種題目雖小，但對於內容非完全瞭解，將其各種隱僻材料，搜撿靡遺，固不易下手也。」[44]「陳先生的題目，比較明瞭，我自己的題目，最是寬泛。」[45]這與胡適頗為近似。其學問在研究方面略顯淺薄，教學上已經足用，尤其適合有待於循序漸進的半桶水學生，因而啟發甚大。待到後者進入各自專業的高深境界，梁的影響力便日益減弱。所以，梁啟超是蒙師而非導師，能提倡而鮮創造。

趙元任在研究院乃至整個清華大學的形象可謂眾說紛紜。他在《清華周刊》上的出鏡率甚高，但事由多與學術無關，「功課極少，晷刻甚多」，人稱「吳語」教授。因閒暇無事，集合師生組織一琴韻歌聲會。校刊報導說：「先生學問淵博，名震中西，對於語言學一門，尤多研究，既善論理堂上催眠，復精小橋食社調味，巧手操琴，鶯歌唱譜，是以耳目口鼻，皆不能忘先生。」[46]很有些調侃意味。趙

44 《梁任公教授談話記》，《清華周刊》第352期。

45 《指導之方針及選擇研究題目之商榷》，《清華周刊》第354期。

46 《歡送趙元任先生》，《清華周刊》第416期。趙妻楊步偉與人合作開一小食店，原

是語言天才，任教哈佛的資歷早於陳寅恪，所以開始地位還在陳之上。但胡適後來的評價是：「元任是稀有的奇才，只因興致太雜，用力太分，故成就不如當年朋友的期望。」[47]趙為人有些怪異，與之大同鄉的陳守實說：「此人無學問而濫竽院中」，或許是氣話。該院師生為王國維募捐修建紀念坊，各人均認捐，而趙分文不予，令後輩動氣。

陳寅恪在清華研究院講授和指導的科目，均為地道的歐洲漢學。由於胡適等人的宣導，整理國故風行科學主義，所謂國學，其實有一西方漢學的影子在。但真正的科學方法，非長期艱苦學習不易獲得。陳氏講課的反響，顯示了中國學術界主張與實際的明顯反差。對此，他不得不加以調整。1926年底，陳被聘為北京大學研究所國學門導師，1928年春，北大請其兼任佛經翻譯文學課程，秋季又改為蒙古源流研究。前者「因為同學中沒有一個學過梵文的，最後只能得到一點求法翻經的常識，深一層瞭解沒有人達到。」後者因部分學生對元史有所準備，尚能應付。[48]

清華研究院結束後，陳在清華大學的文史兩系任教，所講課程已較研究院時期降低難度，學生仍然不能適應。1934年，該校文學院代院長蔣廷黻總結歷史系近三年概況時說：「國史高級課程中，以陳寅恪教授所擔任者最重要。三年以前，陳教授在本系所授課程多向極專門者，如蒙古史料、唐代西北石刻等，因學生程度不足，頗難引進。近年繼續更改，現分二級，第一級有晉南北朝及隋唐史，第二級有晉南北朝史專題研究及隋唐史專門研究。第一級之二門系普通斷代史性

擬自用，後學生要求搭夥，頗受歡迎（參見楊步偉：《雜記趙家》，瀋陽，遼寧教育出版社1998年版，第55-58頁）。

47 中國社會科學院近代史研究所中華民國史研究室編：《胡適日記》手稿本，1939年9月22日。

48 勞幹：《憶陳寅恪先生》，《傳記文學》第17卷第3期。

質，以整個一個時代為對象；第二級之二門系 Seminar 性質，以圖引導學生用新史料或新方法來修改或補充舊史。」[49]可見其調整課程實有適應學生程度的不得已的苦衷。

清華研究院時代，恰值中國政局發生翻天覆地的大動盪，青年學生倍受時局刺激，難以安於學業。吳宓抱怨道：「此間一二優秀學生，如張蔭麟、陳銓等，亦皆不願習文史之學，而欲習所謂實際有用之學科，以從事於愛國運動，服務社會。」[50]研究生雖被一般學生視為老先生，也難免世風薰染。梁啟超說該院有共產黨二人，國民黨七、八人，國家主義青年團也將研究院學生列為運動對象，周傳儒、方壯猷等還想組織一精神最緊密的團體，一面講學，一面作政治運動。[51]這在主張學術自由人格獨立的陳寅恪當不以為然。

此外，清華相對於北大獨樹一幟的學風，因其嚴謹而令學子們難以堅守。加上梁啟超對於疑古辨偽頗有共鳴，後學者又因古史辨派的轟動效應易於附和，部分學生與外校學生共組述學社，反對信古媚古，有的甚至同時又將成績提交北大國學門。[52]政治與學風交相作用的浮躁心情，也影響了在一般同學看來已是兄長甚至叔叔輩的研究生們潛心向學。對於陳寅恪以學術為目的的純粹學問，更難引起興趣和共鳴。

陳寅恪一生治學，雖文史兼修，而重在治史，語言方面的訓練，在他只是工具。研究院學生及時人震懾於此，可謂本末倒置。早在

---

49 劉桂生、歐陽軍喜：《陳寅恪先生編年事輯補》，王永興編：《紀念陳寅恪先生百年誕辰學術論文集》，第436頁。其在中文系所開課程為佛經翻譯文學、敦煌小說選讀、世說新語研究、唐詩校釋等。

50 吳宓著，吳學昭整理注釋：《吳宓日記》第3冊，第53-54頁。

51 丁文江、趙豐田編：《梁啟超年譜長編》，第1118、1129頁。

52 劉桂生、歐陽軍喜：《陳寅恪先生編年事輯補》，王永興編：《紀念陳寅恪先生百年誕辰學術論文集》，第433頁。

1923年，他在致妹書中就說：

> 「我今學藏文甚有興趣，因藏文與中文系同一系文字，如梵文之與希臘拉丁及英俄德法等之同屬一系。以此之故，音韻訓詁上，大有發明。因藏文數千年用梵音字母拼寫，其變遷源流，較中文為明顯。如以西洋語言科學之法，為中藏文比較之學，則成效當較乾嘉諸老，更上一層。然此非我所注意也。我所注意者有二：一歷史。（唐史、西夏）西藏（即吐蕃）藏文之關係不待言。一佛教。」

後來他基本放棄語言學關係較重的研究，實在因為條件有限，而其治學又不甘為牛後。歐洲漢學界中，會十幾種外文的人並非屈指可數。巴黎學派正統領袖沙畹的高足、曾參與廈門大學國學院籌備事宜的法國學者戴密微，就「通十數國言文，而習中國書已十載。」[53]

不過，如果將陳寅恪致妹書作為其一生治學的綱要，歷史一面不當囿於中古。陳寅恪推崇宋代史學，除別有深意外，要在宏通與專精相通相濟，決非一般人以為的撰述通史之類。關於中國歷史，陳認為「研上古史，證據少，只要能猜出可能，實甚容易。因正面證據少，反證亦少。近代史不難在搜輯材料，事之確定者多，但難在得其全。中古史之難，在材料之多不足以確證，但有時足以反證，往往不能確斷。」[54]他自稱「不敢觀三代兩漢之書，而喜談中古以降民族文化之史」[55]，原因在此。但他對明清以降的近代史，卻很早就予以關注。在清華研究院的指導學科，已包含滿洲書籍及碑誌與歷史有關係者。

---

53 繆子才：《送戴密微教授歸省序》，《廈大周刊》第152期，1926年5月29日。

54 楊聯陞：《陳寅恪先生隋唐史第一講筆記》，《清華校友通訊》1970年4月29日。

55 《陳垣元西域人華化考序》，《金明館叢稿二編》，第239頁。

1926年擔任北大研究所國學門導師，在該門提出的研究題目四項，由本科三年級以上學生選修，四題為：1、長慶唐蕃會盟碑藏文之研究（吐蕃古文）。2、鳩摩羅什之研究（龜茲古語）。3、中國古代天文星曆諸問題之研究。4、搜集滿洲文學史材料。[56]

原來隨梁啟超研究明史的陳守實，畢業後到天津南開中學高中部任國文教員，常回校向「寅恪師」請益，「談明清掌故頗久。師諳各國文字，而於舊籍亦翻檢甚勤，淹博為近日學術界上首屈一指之人物。」陳寅恪指出《清史稿》諸多弊病，所論涉及外交檔案、外人著述、軍事情報、內閣檔案等，無一不是當時研究清史的大道要津。他搜集滿洲文學史料，正是準備編寫滿洲《藝文志》。

1927年冬，恰好有由李盛鐸保存的七千麻袋內閣檔案因存放困難急於出售，陳寅恪聞訊，認為「內閣檔案，有明一代史料及清初明清交涉檔案，極為重要，……研究院如能擴充，則此大宗史料，實可購而整理之」[57]。這些檔案，原為清內閣大庫所存，宣統年間，裝成8千麻袋移置國子監，民初以爛字紙低價出售給商人作造紙材料。除北大得一小部分，羅振玉以三倍價將其餘7千麻袋購回，因財力不足，擬轉售外人。李盛鐸急以1萬8千元（一說1萬6千元）買回，月出30元租一房貯存。因其無暇整理，而所租房屋上雨旁風，欲再度出售，索價兩萬。先此，羅振玉將這些檔案整理了兩冊，刊於東方學會，「即為日本、法國學者所深羨，其價值重大可想也。」日本滿鐵公司聞訊，即與李氏訂立買約。馬衡等人聽說後大鬧，不使出境，並請傅斯年等設法。因款項不易籌措，未果。清華研究院原來全年預算共5萬元，

---

56 《研究所國學門通告》，《北京大學日刊》第2000號，1926年12月8日。該通告寫於12月2日，則陳寅恪擔任北京大學國學門導師的時間較以前所說為早。

57 陳守實：《學術日錄〔選載〕·記梁啟超、陳寅恪諸師事》，《中國文化研究集刊》第1輯。

王國維去世後，壓縮一半，也無法購置。此後又有燕京大學購買之說。陳寅恪對此一直關注，1928年9月，他和胡適、傅斯年等人談及，「堅謂此事如任其失落，實文化學術上之大損失，明史、清史，恐因而擱筆，且亦國家甚不名譽之事也。」[58]後終於由傅斯年轉請蔡元培以2萬元購回，存於中央研究院歷史語言研究所。

1928年10月，中研院史語所成立於廣州，陳寅恪即被聘請為研究員，以秘書代行所長職務的傅斯年希望他就近在北京負責整理內閣大庫檔案。[59]陳所屬史語所第一組的研究標準是，以商周遺物，甲骨、金石、陶瓦等，為研究上古史對象；以敦煌材料及其它中亞近年出現的材料為研究中古史對象；以內閣大庫檔案，為研究近代史對象。第一項分別由傅斯年、丁山、容庚、徐中舒負責，第二項由陳垣負責，陳寅恪本人負責整理明清兩代內閣大庫檔案史料，政治、軍事、典制搜集，並考定蒙古源流、及校勘梵番漢經論。[60]由此可見，至少從清華研究院時期起，陳寅恪的研究重心之一，已經轉向明清史，並有整理內閣檔案的願望。只是開始尚偏重倚靠異族域外語言的民族文化關係一面。

陳寅恪在《馮友蘭中國哲學史下冊審查報告》中表示「平生為不古不今之學」，或以為「不古不今」指國史中古一段[61]，與陳的內心追求不相吻合。陳因家世關係迴避晚清史可以理解，但志在宋代史學的通達，必不肯自囿於所謂中古一段。綜觀其一生治學，上自魏晉，下

58 1928年9月11日《傅斯年致蔡元培函》，高平叔編：《蔡元培全集》第5卷，北京，中華書局1988年版，第285-286頁。

59 王汎森、杜正勝編：《傅斯年文物資料選輯》，第64-65頁。陳於1929年正式應聘。

60 《中央研究院過去工作之回顧與今後努力之標準》，《蔡元培全集》第5卷，第371頁；《三十五年來中國之新文化》，高平叔編：《蔡元培全集》第6卷，中華書局1988年版，第85頁。

61 汪榮祖：《陳寅恪評傳》，第81頁。

迄明清，均有極其深入而影響重大的成就。即使對先秦兩漢和晚清史，雖鮮有專文，但偶而涉及的二三論斷，較一般專門研究者尤勝一籌。如對先秦各家影響社會的作用分析、晚清變法派不同之二源、梁啟超不能絕緣於腐惡政治的原因理解等。《寒柳堂記夢》論述晚清史實，更有入木三分之功力。深入理解其關於清流濁流的冷靜分析，大概不會產生陳氏對張之洞情有獨鍾的誤解。

1933年，張蔭麟撰文稱龔自珍作於道光二年的「漢朝儒生行」詩中某將軍指岳鍾琪，陳閱後，托容庚轉告張「所詠實楊芳事」。張蔭麟思考再三，接受其意見，並覆函道：

> 「因先生之批評之啟示，使愚確信此詩乃借岳鍾琪事以諷楊芳而獻於楊者。詩中『一歌使公思，再歌使公悟』之公，殆指楊無疑。楊之地位與嶽之地位酷相肖似也。楊以道光二年移直隸提督，定庵識之，當在此時，因而獻詩，蓋意中事。次年定庵更有『寄古北口提督楊將軍芳』之詩，勸其『明哲保孤身』也。本詩與楊芳之關係，愚以前全未涉想及之，今當拜謝先生之啟示，並盼更有以教之。」[62]

張蔭麟是當時新舊各方公認的才子，沒有極深功力，豈能輕易從他筆下看出破綻？可見陳寅恪此時亦能在晚清史解釋今典，一展其同情式以詩證史的絕技。

陳寅恪晚年治史由中古轉向明清，方法又由外族語言轉向本位漢語，都有其前因與必然。沒有這種站在本來民族地位上對外來學說盡力吸收後對於傳統和西學的超越，其自成系統、有所創獲的治學方法

---

62 1934年3月7日《與陳寅恪論漢朝儒生行書》，《燕京學報》第15期，1934年6月。

就難以完善，近代中國史學就無法在宋代的高峰之後再創新高，與國際學術巨匠引導的主流並駕齊趨。對於陳寅恪晚年轉向的誤解，受影響的決不僅僅是對其個人的評價，而是對民族文化命脈與價值的理解。就此而論，清華研究院時期不僅展示了陳寅恪的學術文化抱負，也顯示了其一生學問的大體和脈絡。他與其餘幾位教授及講師關係的疏密和學行的異同，則在一定程度上濃縮了那一時代國學界的共相與變相。

近現代中華文化思想叢刊 A0102007

晚清民國的國學研究 上冊

作　　者 桑兵
責任編輯 楊家瑜

發 行 人 林慶彰
總 經 理 梁錦興
總 編 輯 張晏瑞
編 輯 所 萬卷樓圖書股份有限公司
臺北市羅斯福路二段 41 號 6 樓之 3
電話 (02)23216565
傳真 (02)23218698

出　　版 昌明文化有限公司
桃園市龜山區中原街 32 號
電話 (02)23216565
發　　行 萬卷樓圖書股份有限公司
臺北市羅斯福路二段 41 號 6 樓之 3
電話 (02)23216565
傳真 (02)23218698
電郵 SERVICE@WANJUAN.COM.TW

ISBN 978-986-496-105-4
2019 年 1 月初版二刷
2018 年 1 月初版
定價：新臺幣 260 元

如何購買本書：
1. 劃撥購書，請透過以下郵政劃撥帳號：
帳號：15624015
戶名：萬卷樓圖書股份有限公司
2. 轉帳購書，請透過以下帳戶
合作金庫銀行 古亭分行
戶名：萬卷樓圖書股份有限公司
帳號：0877717092596
3. 網路購書，請透過萬卷樓網站
網址 WWW.WANJUAN.COM.TW
大量購書，請直接聯繫我們，將有專人為您服務。客服：(02)23216565 分機 610
如有缺頁、破損或裝訂錯誤，請寄回更換

國家圖書館出版品預行編目資料
晚清民國的國學研究 / 桑兵著. -- 初版. -- 桃園市 : 昌明文化出版 ; 臺北市 : 萬卷樓發行, 2018.01
冊 ; 公分. -- (中華文化思想叢書)
ISBN 978-986-496-105-4(上冊 : 平裝). --
1.漢學研究 2.中國
030.31 107001272